Le grand livre des

Petits Créateurs

casterman

Ursula Barff • Ingeborg Burkhardt • Jutta Maier

Le grand livre des Petits Créateurs

casterman

4

CHERS AMIS BRICOLEURS,

Nous sommes enchantées que vous ayez choisi ce livre, car votre choix indique que vous aimez bricoler régulièrement avec vos enfants et que vous êtes à la recherche d'idées nouvelles. En outre, cela signifie que, tout comme nous, vous considérez le bricolage comme une alternative importante aux multiples possibilités d'occuper intelligemment les enfants.

Lorsque nous nous sommes demandé si le bricolage était encore à la mode et n'était pas supplanté par les différents médias et par l'électronique qui envahissent les chambres d'enfants, nous avons pris conscience que si le terme générique « bricolage » était resté, son contenu et sa forme s'étaient constamment renouvelés.

Le bricolage est extrêmement bénéfique à votre enfant. Celui-ci expérimente en effet la joie de la création, découvre en s'amusant le travail d'équipe et développe sa confiance en lui ainsi que ses capacités de communication.

Mais l'adulte qui accompagne les enfants dans ce genre d'activités progresse lui aussi et découvre que le travail en commun resserre les liens et développe la confiance. Autant de choses essentielles au sein de la famille et capitales dans la coopération entre le foyer familial et l'école maternelle ou primaire.

Vous trouverez dans cet ouvrage des suggestions de bricolages présentant divers degrés de difficulté et convenant à toutes les occasions particulières au fil de l'année. Étant donné que chaque enfant évolue à son propre rythme, les âges sont fournis à titre purement indicatif. Dans le même ordre d'idée, les modèles à décalquer sont uniquement destinés à vous simplifier la tâche. Leur objectif n'est surtout pas d'étouffer la créativité, mais, le cas échéant, d'apporter une aide et d'assurer le succès de l'entreprise.

Nous espérons que ce troisième ouvrage de bricolage vous plaira autant que les deux premiers. Nous saurons dans ce cas que nous nous sommes engagées sur la bonne voie et que les objets que nous confectionnons avec les enfants vous intéressent également et vous donnent envie de les réaliser à votre tour.

Toutes les personnes qui ont participé à l'élaboration de cet ouvrage s'associent à nous pour vous souhaiter beaucoup de plaisir et de réussite.

Les auteurs

5

Table des matières

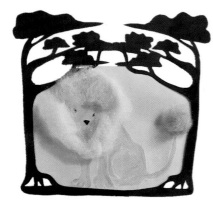

Bricoler
avec
les enfants

QUELQUES INFORMATIONS CONCERNANT LE MATÉRIEL

Papiers

Le papier est à la base de nombreux bricolages. Outre le papier blanc normal (pour machine à écrire), il existe de nombreux autres types de papier que vous pourrez généralement vous procurer dans un magasin de bricolage.

Les formats selon les normes DIN, qui complètent parfois les dimensions en centimètres dans les listes de matériel des divers bricolages, sont les suivants :

DIN A4 : dimension normée du papier pour machine à écrire

DIN A5 : la moitié du format du papier pour machine à écrire

DIN A6 : format carte postale

DIN A3 : le double du format du papier pour machine à écrire

Dans le tableau ci-dessous, tous les types de papier figurant dans cet ouvrage sont classés par ordre alphabétique.

TYPE DE PAPIER	PROPRIÉTÉS	CONSEILS
Bristol	Carton fin, existant dans toutes les teintes, feuilles de papier normées	Disponible en magasin de bricolage ou en papeterie
Papier origami	Existant dans toutes les teintes, coloré d'un côté, carré, disponible en différentes tailles, ressemble au papier Ingres	Disponible en papeterie ou sous forme de chutes dans les bureaux d'architectes
Film doré	Brillant, couleurs : or, argent, rouge, bleu, vert ; disponible en rouleaux	Disponible en magasin de bricolage ou en papeterie
Papier calque	Transparent, fin, ressemble au papier sulfurisé	Disponible en papeterie ou sous forme de chutes dans les bureaux d'architectes
Papier Ingres	Fin, existant dans toutes les teintes, carré, rectangulaire ou rond, différentes tailles	Disponible en magasin de bricolage
Papier à dessin de couleur	Carton fin, existant dans toutes les teintes, feuilles de papier normées	Disponible en magasin de bricolage
Papier éléphant	Translucide, papier fort, structure grossière, existant dans toutes les teintes, feuilles de papier normées	Disponible en papeterie ou sous forme de chutes dans les bureaux d'architectes
Papier gommé	Papier brillant, existant dans toutes les teintes, dont le verso est gommé, disponible en feuilles de différentes tailles	Se déchire et se découpe facilement, disponible en magasin de bricolage
Papier crépon	Structure crépon, existant dans toutes les teintes, disponible en rouleaux	Attention : change de couleur lorsqu'il entre en contact avec de l'eau ou de la colle ; disponible en magasin de bricolage
Carton ondulé	Carton pliable à structure ondulée sur l'une des faces	Déchets gratuits, rassembler des morceaux de différentes tailles
Papier de soie	Très fin, légèrement transparent, existant dans toutes les teintes, feuilles de papier normées	Attention : change de couleur au contact de l'humidité ou de la colle ; disponible en magasin de bricolage
Papier sulfurisé	Transparent, fin, disponible en rouleaux	Peut être utilisé à la place du papier calque pour décalquer les patrons ; disponible en magasin d'alimentation
Papier transparent	Translucide, existant dans toutes les teintes, disponible en feuilles	Disponible en magasin de bricolage
Papier vitrail	Translucide, existant dans toutes les teintes, disponible en feuilles	Peut être remplacé par le papier transparent ; disponible en magasin de bricolage

Peintures

Les peintures jouent un rôle essentiel dans presque tous les bricolages. Ce sont elles qui apportent en effet la touche finale à l'objet confectionné. La plupart d'entre elles s'appliquent au pinceau. Étant donné qu'un pinceau de qualité coûte relativement cher, il doit être traité avec soin. Ne le rangez donc jamais pointe en bas et nettoyez-le toujours soigneusement après utilisation. Certaines peintures, comme les laques, nécessitent un nettoyant spécial. Le tableau suivant présente par ordre alphabétique les principales peintures utilisées dans cet ouvrage.

PEINTURE	PROPRIÉTÉS	CONSEILS
Crayons gras	Crayons de couleur, brillants, couleurs vives	Le mieux est d'acheter des crayons non toxiques contenant de la cire d'abeille ; disponibles en magasin de bricolage ou en papeterie
Gouache	Relativement couvrante, s'efface facilement, lavable sans aucun problème	Disponible en magasin de bricolage ou en papeterie
Laque	Couvrante, sèche lentement, impossible à éliminer des vêtements	Disponible en magasin de bricolage ou de fournitures artistiques
Peinture acrylique	Très couvrante, résistant à la lumière, très difficile à ôter des vêtements	Disponible en magasin de bricolage
Peinture au doigt	Couvrante, utilisable sur de grandes surfaces, lavable	Disponible en magasin de bricolage
Peinture pour linogravure	Couvrante, sèche très lentement	Disponible en magasin de bricolage ou en papeterie
Peinture pour tissu	Convient uniquement pour les textiles, lavable avant repassage	Disponible en magasin de bricolage

Matériaux de bricolage gratuits

Si l'on examine les listes de matériaux de bricolage figurant dans cet ouvrage, on constate que nombre d'entre eux sont déjà présents à la maison, certains étant voués à devenir des déchets. Il est donc conseillé de regrouper dans une boîte ou une caisse ces « matériaux sans valeur » :

- cartes postales ; chutes de rideaux ; d'essuie-tout ;
- restes de bougies ;
- morceaux ou planches de bois ;
- boutons ;
- capsules de bouteilles ;
- vieilles brosses à dents ;
- chutes de tissu ;
- chutes de papier peint ;
- bougies chauffe-plats ;
- rouleaux vides
- vieilles vitres ;
- élastiques ;
- pots de yaourt vides ;
- bouchons de liège ;
- chutes de fourrure ;
- vieilles chaussettes ;
- boîtes d'allumettes vides ;
- vieux passe-thé ;
- boîtes à fromage ;
- tonnelets vides de poudre à lessiver avec couvercles ;
- coques de noix ;
- rouleaux de papier toilette vides ;
- brins de laine.

Les matériaux naturels figurant dans ce livre peuvent presque tous être glanés à l'occasion de promenades dans les bois ou les champs. Ils doivent être conservés dans un endroit aéré (une caisse ou un carton laissant passer l'air), faute de quoi ils moisiront. Les graminées et les fleurs doivent d'abord sécher, suspendues tête en bas, avant de pouvoir être enfermées dans une caisse aérée. Voici quelques idées de matières à conserver :

- feuilles ;
- champignons d'arbre ;
- fleurs ;
- cupules de faînes ;
- mousse et écorce ;
- glands et cupules ;
- graminées ;
- fruits d'églantier ;
- noisettes et leur coque ;
- pommes de pin.
- plumes.

Autres objets à acheter

Outre les papiers et les peintures, vous aurez besoin de toute une série d'autres choses que vous pourrez vous procurer dans les magasins de bricolage ou de décoration. Les principaux matériaux et outils sont regroupés dans le tableau ci-dessous. Certains d'entre eux, comme le fil de fer, peuvent déjà se trouver dans votre caisse à outils ou à la cave. Et souvent, il est possible de réutiliser des chutes de matériaux.

OBJETS	DESCRIPTION	CONSEILS
Pinces pour bricolage	Moitiés de pinces à linge en bois	Disponibles en magasin de bricolage
Colle de bricolage	Colle forte fluide, à prise rapide et lavable	Disponible en magasin de bricolage ou en papeterie
Fil de fleuriste	Fil de fer fin, facile à plier	Disponible en magasin de bricolage ou chez les fleuristes
Fil de fer	Existe en plusieurs diamètres, doit être plié avec une pince plate	Disponible en magasin de bricolage
Laque de finition	Laque brillante à base d'eau, diluable à l'eau	Disponible en magasin de bricolage ou de décoration
Assiettes à dessert	Assiettes blanches, plates en porcelaine ou en faïence	Disponibles en magasin d'articles ménagers
Ruban adhésif double face	Également appelé ruban pour moquette, matériau fortement adhérant	Disponible en magasin de papiers peints ou de décoration
Goujons	Baguettes de bois rondes, de différents diamètres et longueurs	Disponibles en magasin de bricolage
Feutre	Tissu existant dans différentes couleurs, ne s'effiloche pas	Disponible en magasin de bricolage ou de tissus
Anneaux de rideaux	Anneaux de bois ronds, existent en différentes tailles et épaisseurs	Disponibles chez un marchand de rideaux
Ruban cadeau	Ruban synthétique, existe dans toutes les teintes en différentes largeurs, s'achète au mètre	Disponible dans les boutiques cadeaux ou les magasins de tissus
Plâtre	Poudre blanche, se mélange à l'eau et durcit rapidement	Disponible en magasin de bricolage
Fil doré ou argenté	Existe en différentes épaisseurs	Disponible en magasin de bricolage ou de décoration
Granulat	Poudre cristalline, incolore ou colorée, fond au four	Disponible en magasin de bricolage
Colle à bois	Colle spéciale pour le bois, sèche lentement	Disponible en magasin de bricolage ou de décoration
Perles de bois	Perles couleur bois ou peintes, de tailles différentes, présentant un orifice central	Disponibles en magasin de bricolage ou en magasin d'artisanat
Serre-joints	Outil servant à serrer des plaques de bois	Disponible en magasin de bricolage
Élastique à chapeau	Élastique fort, existant en différentes teintes, disponible en bobines	Disponible en magasin de bricolage
Bougeoirs	Bougeoirs métalliques spéciaux pour lanternes, à fixer sur le fond de la lanterne	Disponibles en magasin de bricolage
Panneaux de liège	Pressés à partir de chutes de liège	Disponibles en magasin de bricolage
Attaches pour boules	Crochets avec anneau	Disponibles en magasin de bricolage

OBJETS	DESCRIPTION	CONSEILS
Boules de plastique	Boules blanches de différentes tailles	Disponibles en magasin de bricolage
Scie à chantourner	Petite scie en U	Disponible en magasin de bricolage
Lames de scie à chantourner	Lames à monter dans une scie à chantourner	Disponibles en magasin de bricolage
Plaques à scier à la scie à chantourner	Minces plaques de bois spéciales	Disponibles en magasin de bricolage ou de décoration
Set de confection de lanterne	Contient : papier calque, boîte à fromage, bougeoir spécifique, bougie, fil de fer et bâton	Disponible en magasin de bricolage ou de décoration
Feutres « couleurs métalliques »	Disponibles en couleur or, argent et bronze, agiter avant l'emploi	Disponibles en papeterie
Caoutchouc mousse	Panneaux de matière synthétique souple, ayant l'apparence du feutre	Disponible en magasin de bricolage
Laine vierge	Laine non filée, non lavée, de couleur naturelle ou teintée, ressemble à de la ouate	Disponible en magasin de bricolage ou d'artisanat
Herbe en papier	Herbe synthétique en papier vert	Disponible en magasin de bricolage
Sacs poubelles en papier	Très grands sacs en papier fort	Disponibles en droguerie, magasins d'articles ménagers ou d'alimentation, mais malheureusement pas partout
Colle à papier peint	Poudre à mélanger à l'eau selon les instructions sur le paquet, convient pour le papier et le carton, lavable	Disponible en magasin de papiers peints ou de bricolage
White-spirit	Produit de nettoyage et diluant universel ; toxique !	Disponible en magasin de fournitures artistiques ou de bricolage
Raphia	Ruban plat, existant en différentes largeurs, disponible en écheveaux	Disponible en magasin de bricolage
Toile de jute	Tissu avec lequel on fabrique les sacs à pommes de terre, s'achète au mètre	Disponible en magasin de tissus ou de bricolage
Ruban de velours	Ruban existant en plusieurs largeurs et dans toutes les teintes, s'achète au mètre	Disponible en magasin de tissus
Piques à brochettes	Baguettes de bois de 18 cm de long environ, dont une extrémité est pointue	Disponibles en magasin de bricolage ou d'articles ménagers
Papier de verre	Papier dont une face est rugueuse, existe dans toute une série d'épaisseur de grains	Disponible en magasin de bricolage ou de décoration
Film autocollant	Film transparent, une face brillante, l'autre adhésive, s'achète au mètre	Disponible en magasin de bricolage ou en papeterie
Vernis en bombe	Vernis transparent en vaporisateur, peut être utilisé sans pinceau ; toxique !	Disponible en magasin de bricolage
Cure-pipes	Fils de fer entourés de « fourrure » synthétique, existant dans toutes les teintes, que l'on découpe avec des ciseaux ou des pinces.	Disponibles dans les bureaux de tabac ou en magasin de bricolage
Argile	Masse blanche, marron clair ou foncé, doit être stockée dans un endroit humide, s'achète au kilo	Disponible dans les poteries ou en magasin de bricolage
Fleurs séchées	Fleurs séchées de tous types, colorées et fragiles	À récolter soi-même ou disponibles chez les fleuristes
Soucoupes de pots de fleurs	En argile, intérieur émaillé	Disponibles dans les centres de jardinage ou chez les fleuristes
Boules en ouate	Boules en ouate pressée, existant dans toutes les tailles, blanches, légères	Disponibles en magasin de bricolage

REPRODUIRE LES MODÈLES DU PATRON

Nous ne sommes pas tous doués pour le dessin. Et il arrive fréquemment qu'un bricolage ne soit pas aussi réussi que vous ne l'aviez imaginé pour la simple et bonne raison que le dessin n'était pas très convaincant au départ. C'est pourquoi nous vous proposons dans ce livre des patrons pour toutes les choses difficiles à dessiner. Ces modèles sont situés soit directement en regard de l'objet concerné, soit en annexe à partir de la page 204 si l'espace disponible était insuffisant. Quant aux modèles plus grands que le format du livre, ils sont regroupés sur le grand patron replié à la fin du livre.

Il existe deux méthodes pour reproduire les patrons :

Reproduire avec du papier calque

Le papier calque est un papier solide et translucide que l'on peut acheter dans les papeteries. Les bureaux d'architectes utilisent beaucoup ce type de papier et accepteront probablement de vous en fournir gratuitement. À la place du papier calque, vous pouvez également employer du papier sulfurisé, qui présente pratiquement les mêmes propriétés, mais est un peu plus fin et un peu moins solide. Avec l'un ou l'autre de ces papiers, vous aurez besoin d'un crayon de type « B ».

1. Posez le papier calque sur le patron que vous souhaitez reproduire et repassez les contours au crayon en veillant à ce que le papier ne bouge pas.

2. Avant d'ôter le papier, vérifiez que toutes les lignes ont été correctement repassées.

3. Retournez le papier et placez-le sur le papier ou le carton sur lequel vous voulez reporter le modèle. Les lignes tracées au crayon sont à présent en contact avec le nouveau support.

4. Repassez les lignes encore une fois en appuyant fortement. Comme vous travaillez avec un crayon de type « B » (gras), les premières lignes adhèrent au papier ou au carton et le modèle souhaité apparaît. Assurez-vous que tous les traits ont été reportés, puis découpez votre motif.

Reproduire avec du papier carbone

Le papier carbone s'achète dans les papeteries, car on l'emploie normalement pour la reproduction de lettres. Le papier carbone a pour avantage de pouvoir être réutilisé de très nombreuses fois et se remplace uniquement lorsque le revêtement est entièrement épuisé.

1. Disposez d'abord le papier ou le carton sur lequel vous voulez reporter le modèle, puis placez le papier carbone par-dessus, face copiante orientée vers le bas (c'est-à-dire côté papier ou carton) et posez enfin le modèle que vous souhaitez décalquer.

2. Pour qu'aucun des éléments ne bouge pendant l'opération, maintenez les trois épaisseurs avec des trombones ou avec du ruban adhésif repositionnable.

3. Repassez à présent les contours du motif au crayon : ils se reporteront automatiquement sur le support choisi. Avant d'ôter le papier carbone, assurez-vous que vous n'avez oublié aucune ligne. Vous pouvez ensuite découper le motif obtenu.

COMMENT S'ORIENTER DANS CET OUVRAGE

Ce livre est divisé en onze chapitres. Chacun d'entre eux regroupe des propositions de bricolage relatives à un thème donné. Ce mode de subdivision est destiné à aider l'utilisateur à trouver rapidement le bricolage convenant à une occasion déterminée. Mais bien sûr, rien ne vous empêche de procéder selon votre propre méthode. Comme tous les objets réalisés sont présentés sur des photos couleur grand format, vous pouvez en effet vous inspirer de la photo pour adapter le bricolage en question sans vous préoccuper de la saison ou de l'occasion. La plupart des matériaux utilisés dans les bricolages se trouvent aisément dans chaque foyer. Vous devrez toutefois vous assurer que vous disposez bien des ustensiles et objets suivants, car ceux-ci sont fréquemment employés :

- des ciseaux ;
- des aiguilles à coudre ou à repriser ;
- du fil ;
- des crayons gras ;
- un taille-crayon ;
- une gomme ;
- une règle ou une équerre ;
- des chutes de laine ;
- des chutes de tissu ;
- du papier ;
- de la colle de bricolage ;
- du papier calque ;
- du papier transparent ou sulfurisé ;
- des chutes de papier ou de carton ;
- du vernis transparent en bombe ;
- une perforatrice ou un emporte-pièce ;
- une agrafeuse ;
- des feutres ;
- du fil de fer ;
- un cutter ;
- des punaises ;
- des élastiques ;
- des bougies chauffe-plats ;
- des pinceaux.

Pour chaque bricolage, tous les matériaux et ustensiles nécessaires sont regroupés dans une liste. Le mieux est de préparer à l'avance tous les objets requis, afin de ne pas devoir interrompre le bricolage parce qu'un matériau ou un outil est manquant.
De nombreux bricolages sont réalisés à partir de matériaux de récupération comme des pots de yaourt ou des rouleaux de papier toilette vides. Les objets disponibles en magasin de bricolage sont présentés à partir de la page 10.

Les activités présentent des degrés de difficulté divers et nous avons donc précisé l'âge à partir duquel elles peuvent être réalisées. De la sorte, l'enfant ne se découragera pas en s'attaquant à des bricolages trop compliqués pour lui et dont le résultat sera souvent en deçà de ses espérances. Naturellement, l'âge est donné uniquement à titre indicatif. Chaque enfant décidera lui-même du bricolage qu'il souhaite réaliser, le plus important étant le plaisir qu'il en tirera.

Les petits qui ne savent pas encore lire auront toujours besoin de l'aide d'un adulte pour savoir comment procéder, mais le travail lui-même est si simple qu'ils ne rencontreront aucune difficulté dans sa réalisation.

Pour que la réussite du bricolage ne soit pas compromise par une éventuelle absence de don pour le dessin, nous avons prévu des modèles à reproduire pour les motifs difficiles à dessiner.

Ces modèles sont représentés grandeur nature et peuvent donc être décalqués directement. Certains de ces motifs figurent sur les pages en annexe, dont le numéro est indiqué dans l'explication. Les motifs plus grands sont tracés sur le patron. Ils sont tous annotés et, s'ils se superposent pour des raisons de place, ils se distinguent nettement par leur couleur. Une liste numérotée figure en haut à gauche de la page A du patron.

Pour les jours de neige et de mauvais temps

PETIT
TRAÎNEAU PLIÉ

à partir de 4 ans

- du papier à dessin
  de couleur (DIN A5)
- une règle
- un crayon
- des ciseaux
- des chutes de papier
  de couleur
- de la colle

Depuis toujours, c'est en traîneau que le père Noël apporte les cadeaux aux enfants. Vous réaliserez très facilement celui-ci avec du papier à dessin de couleur et vous pourrez ensuite le remplir de pères Noël en chocolat et de petits objets.

1. À l'aide d'une règle, tracez un rectangle de 21 x 15 cm sur du papier à dessin de couleur et découpez-le.

2. Pliez ensuite le rectangle en deux, une fois dans le sens de la longueur et une fois dans le sens de la largeur. Marquez le pli, puis rouvrez le papier.

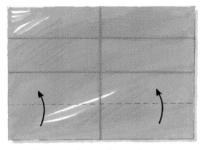

3. Rabattez les côtés longs vers le centre du rectangle, puis ouvrez à nouveau celui-ci.

4. Rèfermez ensuite le rectangle dans l'autre sens, puis rabattez les quatre coins, comme indiqué sur le schéma.

5. Repliez les bords centraux vers la droite et vers la gauche.

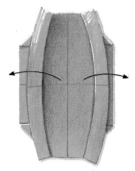

6. Avec les deux mains, tirez prudemment les côtés vers le haut de façon à obtenir une boîte rectangulaire.

7. Pour réaliser les patins du traîneau, découpez 2 bandes de 30 x 1 cm dans du papier à dessin de couleur.

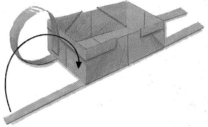

8. Collez-les sur le fond de la boîte en les laissant dépasser sur 3 cm environ à l'arrière. À l'avant, enroulez les bandes et collez-les sur le côté avant de la boîte.

9. Une fois le traîneau terminé, placez-y un père Noël en chocolat ainsi que quelques sucreries et une petite branche de sapin.

Et voilà,
le père Noël peut
commencer sa tournée !

19

PINGOUINS SUR LA BANQUISE

à partir de 5 ans

MATÉRIEL POUR LES PINGOUINS :
- du papier origami noir et blanc (15 x 15 cm)
- un crayon blanc
- un feutre blanc
- un feutre noir

MATÉRIEL POUR LA BANQUISE :
- 3 jaunes d'œufs
- 5 cuillerées à soupe d'eau chaude
- 150 g de sucre
- 1 paquet de sucre vanillé
- un saladier
- un fouet
- 3 blancs d'œufs
- 100 g de farine
- 50 g de fécule
- 1 cuillerée à café rase de levure chimique
- un tamis
- une cuiller en bois
- une plaque à pâtisserie
- du papier sulfurisé
- du sucre
- un torchon
- un pinceau de cuisine
- un couteau
- 500 g de sucre en poudre
- le jus de 2 citrons
- 2 cuillerées à soupe d'eau

Ces pingouins se tenant sur une banquise en biscuit produiront un effet tout à fait particulier lors des fêtes d'anniversaire hivernales. Qu'ils servent à décorer la table ou constituent le prix d'un jeu, ils seront très appréciés par les invités.

Pour les réaliser, employez un papier noir d'un côté et blanc de l'autre afin d'obtenir des figurines ayant l'allure typique des pingouins. Le mieux est d'utiliser un papier origami noir et blanc prédécoupé en carré.

Pingouins

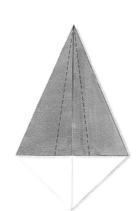

1. Placez le carré de papier côté noir sur la table et pliez-le en diagonale.

2. Ouvrez le pli et rabattez les bords supérieurs gauche et droit sur la ligne médiane de manière à obtenir la forme d'un cerf-volant.

Comme indiqué sur le schéma, rabattez les ailes avant vers l'extérieur sur les lignes en pointillés.

3. Retournez la figure et rabattez le coin inférieur vers le haut.

4. Pliez ensuite les ailes avant droite et gauche sur la ligne médiane.

5. À l'aide des deux lignes en pointillés, pliez la pointe supérieure vers le bas, puis vers le haut. Vous obtiendrez ainsi après le cou et la tête du pingouin.

6. Rabattez la moitié gauche de la figure sur la droite.

7. Pliez la pointe supérieure selon la ligne en pointillés, puis ouvrez l'animal et formez la tête en pliant le papier au niveau du dernier coin marqué. Cela permettra également à la forme de rester ouverte.

8. Rabattez vers la gauche l'aile avant en suivant les pointillés. Procédez de la même manière pour l'aile droite.

9. Pour confectionner le bec, pliez deux fois la pointe supérieure, d'abord vers l'intérieur, puis vers l'extérieur, en suivant les pointillés.

10. Pour finir, dessinez deux yeux au pingouin et inscrivez le nom de l'invité sur le ventre de l'oiseau, puis déposez celui-ci à la place réservée à table pour l'invité.

Banquises

1. Mélangez les jaunes d'œufs avec l'eau, le sucre et le sucre vanillé jusqu'à obtenir une mousse.

2. Montez les blancs en neige et incorporez-les avec précaution au mélange obtenu précédemment.

3. Tamisez ensuite la farine, la fécule et la levure au-dessus de la pâte et mélangez le tout.

4. Recouvrez la plaque à pâtisserie d'une feuille de papier sulfurisé et enduisez-la d'une couche de pâte de 1 cm d'épaisseur.

5. Cuisez le biscuit au four pendant 10 à 15 minutes à 200°C environ. La cuisson est terminée lorsque la pâte a pris une belle teinte dorée.

6. Sortez le biscuit du four et retournez-le immédiatement sur un torchon que vous aurez préalablement saupoudré de sucre. Humidifiez le papier sulfurisé à l'eau froide, ôtez-le et laissez le biscuit refroidir.

7. Découpez ensuite 6 à 8 banquises.

8. Pour le glaçage, versez le sucre en poudre dans un saladier et mélangez-le avec le jus de citron et l'eau. Glacez les banquises à l'aide du pinceau de cuisine.

Vous enfoncerez légèrement les pingouins sur le côté glacé des banquises, avant que celui-ci n'ait pris. Une fois le glaçage durci, les

pingouins tiendront bien en place et vous n'aurez plus qu'à les répartir sur la table.

CARTES DE VŒUX : PAYSAGE ENNEIGÉ

à partir de 6 ans

- du papier à dessin blanc (DIN A5)
- du papier calque
- un crayon
- un cutter
- une planche de bois ou du carton épais
- des vieux journaux
- du papier bleu (DIN A6)
- une vieille brosse à dents
- une grille
- de la gouache blanche
- de la colle

Tout l'attrait de cette carte réside dans la combinaison des techniques d'évidement et de vaporisation, qui donneront un aspect tout à fait réaliste au paysage enneigé. Pour éviter que les traits n'apparaissent, décalquez l'arbre à l'intérieur de la carte.

1. Pour confectionner la carte, pliez simplement le papier à dessin en deux.

2. Déterminez la partie qui constituera l'avant de la carte, puis ouvrez celle-ci et décalquez l'arbre de la page 204 au dos de la page avant.

3. À l'aide du cutter, évidez le motif avec précaution en suivant les contours. Pour éviter d'abîmer la surface de la table, protégez-la avec une planche de bois ou du carton épais.

4. Recouvrez le plan de travail de vieux journaux et placez le papier bleu sur ceux-ci. Trempez la vieille brosse à dents dans l'eau, plongez-la dans la peinture blanche, puis aspergez le papier bleu en frottant la brosse sur la grille jusqu'à obtention d'un ciel plein de flocons.

5. Laissez sécher, puis collez le papier bleu au dos du motif hivernal.

BONHOMME DE NEIGE EN PÂTE À SEL

à partir de 8 ans

- du carton épais
- du papier calque
- un crayon
- des ciseaux
- un saladier
- 200 g de farine
- 200 g de sel
- une tasse d'eau
- un rouleau à pâtisserie
- un coupe-pâte à roulette
- une plaque à pâtisserie
- du papier sulfurisé
- un couteau de cuisine
- des clous de girofle
- un petit morceau d'amande
- des petites branches
- un crochet pour tableau

Le bonhomme de neige : un thème hivernal très apprécié. La pâte à sel convient parfaitement pour réaliser ces amusantes suspensions.

Une astuce pour ne pas trop se fatiguer : comme le temps de cuisson est très long, mieux vaut confectionner plusieurs figurines en pâte à sel et les cuire ensemble au four.

1. Pour le fond, vous pouvez choisir deux ovales de tailles différentes. Reportez les deux modèles de la page 204 sur du carton épais et découpez-les. Ils constitueront les patrons pour le support de vos bonshommes de neige.

2. Pour réaliser la pâte à sel, mélangez la farine et le sel dans un saladier. Ajoutez progressivement l'eau tout en pétrissant jusqu'à ce que la pâte soit homogène et se décolle du saladier.

3. Prenez une boule de pâte de la taille d'une tomate et, à l'aide du rouleau à pâtisserie, aplatissez-la jusqu'à obtention d'un disque de 5 mm d'épaisseur environ: Placez sur celui-ci un patron de carton et découpez la forme à l'aide du coupe-pâte.

4. Recouvrez ensuite la plaque à pâtisserie de papier sulfurisé, puis placez-y avec précaution l'ovale en pâte à sel.

5. Vous pouvez à présent confectionner le bonhomme de neige. Pour le ventre et la poitrine, prenez deux boules de pâte de la taille d'une cerise et aplatissez-les.

6. Humidifiez légèrement l'arrière des formes obtenues et déposez-les sur l'ovale. L'eau les fera adhérer sur le fond. Procédez de la même façon avec les autres éléments.

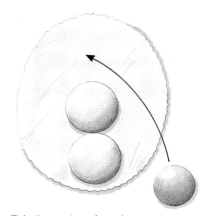

7. Réalisez la tête à partir d'une boule légèrement plus petite et placez-la au sommet des deux autres boules.

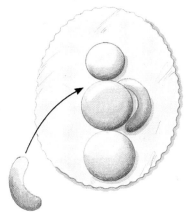

8. Pour les bras, formez 2 rouleaux en forme de bananes et disposez-les de part et d'autre de la poitrine, comme indiqué sur le schéma.

9. Dans un morceau de pâte que vous aurez aplati, découpez à l'aide d'un couteau de cuisine la

forme d'un chapeau et placez celui-ci au sommet de la tête du bonhomme de neige.

10. Représentez les yeux, la bouche et les boutons en plantant des clous de girofle dans la pâte. Un morceau d'amande servira de nez.

11. Le balai est constitué de petites branches que vous insérerez dans le pli d'un des bras.

12. Lorsque vous avez terminé, mettez votre suspension au four pendant 1 heure à 75 °C, puis 1 heure à 100 °C et enfin 1 heure à 150 °C pour le séchage.

13. Laissez refroidir, puis collez le crochet pour tableau à l'arrière.

BOUDIN DE PORTE : MILLE-PATTES EN ESSUIE-MAINS

à partir de 7 ans

- 2 serviettes éponge (100 x 45 cm)
- des chutes de laine d'épaisseur moyenne, aux teintes assorties à celles des serviettes
- un crayon
- des ciseaux
- du fil de fer (20 cm de long)

En hiver, lorsque le froid s'infiltre sous les portes, il peut s'avérer utile d'avoir recours à un « boudin de porte ». Ce sympathique mille-pattes en serviettes éponge sera du plus bel effet et empêchera le froid de pénétrer à l'intérieur.

1. Demandez à vos parents de vous donner deux serviettes éponge usagées.

2. Enroulez la première dans le sens de la longueur en serrant bien.

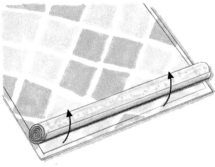

3. Enroulez ensuite soigneusement la seconde autour de la première.

4. Pour que le rouleau tienne, nouez des pattes autour du corps. Celles-ci sont constituées de cor-

delettes que vous réaliserez vous-même. Pour chaque cordelette, coupez des brins de laine de 200 cm de long dont vous nouerez les deux extrémités.

5. Fixez l'une des extrémités à une poignée de porte, puis tirez sur les brins de laine et passez un crayon dans l'autre extrémité.

Saisissez à présent l'écheveau derrière le crayon dans la main gauche et faites tourner le crayon à l'aide de la main droite comme une hélice.

Pendant cette opération, les brins de laine doivent être bien tendus.

6. Dès que toute la longueur est enroulée, saisissez la cordelette par son centre et ramenez l'extrémité avec le crayon vers la poignée de porte. La cordelette est à présent double et commence à s'enrouler sur elle-même. Passez votre main libre le long de la cordelette pour l'étirer au maximum vers le bas.

7. Extrayez l'extrémité de la poignée, ôtez le crayon et nouez ensemble les deux extrémités. Vous obtenez ainsi une cordelette d'en-

viron 80 cm de longueur qui suffit pour deux pattes.

8. Pour diviser la corde, faites deux nœuds au centre séparés d'environ 2 cm, puis coupez la corde entre ceux-ci.

9. Réalisez 7 paires de pattes de la même manière, puis confectionnez une cordelette d'environ 20 cm pour les antennes.

10. Placez à présent le rouleau de serviettes de manière à ce que le bord ouvert soit orienté vers le haut. Enroulez l'une des cordelettes autour du rouleau et nouez-la à proximité de l'ouverture. Les deux extrémités de la cordelette constitueront les 2 premières pattes du mille-pattes.

11. À intervalles réguliers, nouez de la même manière les autres cordelettes autour du corps, puis retournez le mille-pattes de manière à ce qu'il tienne sur ses pattes.

12. Pour fixer les antennes, introduisez le fil de fer sur environ 7 cm dans une extrémité de la cordelette, piquez-le ensuite dans la serviette et faites-le ainsi passer dans le corps sur environ 6 cm. Piquez-le ensuite à nouveau dans l'autre bout de la cordelette, sur 7 cm également. Vous pourrez ainsi orienter sans difficulté les antennes vers le haut.

13. Rentrez l'extrémité du rouleau qui représente la tête. Vous obtiendrez ainsi une petite gueule.

Le mille-pattes en serviettes éponge est à présent prêt à remplir son office dans un endroit où le froid pénètre dans la maison.

LUMIGNON
BONHOMME DE NEIGE

à partir de 5 ans

- 1 pot à confiture
- un mètre à ruban
- du papier calque
- un crayon
- des ciseaux
- du carton fin
- du papier blanc pour
  machine à écrire
- des crayons gras
- de la colle
- des bougies chauffe-plats

En janvier, lorsque les décorations de Noël ont été rangées dans les cartons, la maison prend soudainement un air triste. Pourquoi ne pas lui apporter un peu de joie avec ce lumignon bonhomme de neige ? Placé sur un appui de fenêtre, il réchauffera l'atmosphère et égaiera quelque peu les longues soirées d'hiver.

1. Avez le mètre à ruban, mesurez la circonférence du pot à confiture. Divisez la longueur obtenue par 4, afin de déterminer la largeur des bonshommes de neige.

2. À la page 204, vous trouverez des modèles de différentes tailles. Reportez le bonhomme de neige correspondant à vos mesures sur du carton fin et découpez-le.

7. Lorsque vous dépliez la feuille, vous obtenez 4 bonshommes de neige attachés les uns aux autres.

3. Rabattez ensuite vers la droite un côté de la feuille de papier sur une largeur correspondant à vos mesures, soit 6 cm dans notre exemple.

8. Avec les crayons gras, dessinez le chapeau, le visage et les boutons sur les figurines. Il ne vous reste plus à présent qu'à coller les bonshommes de neige sur le pourtour du bocal et le lumignon est terminé.

6. Découpez le bonhomme de neige de manière à ce que le chapeau, les bras et la base du corps touchent les bords du papier des deux côtés.

Pour que les bonshommes de neige illuminent la pièce de leur présence, déposez une bougie chauffe-plats dans le fond du bocal.

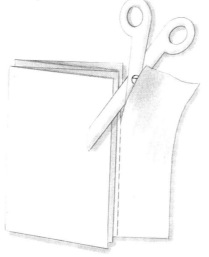

4. Pliez le papier en accordéon en veillant à toujours bien aligner les bords, puis découpez l'excédent de papier.

5. Déposez à présent le modèle de bonhomme de neige en carton sur le premier côté de votre accordéon et tracez-en les contours au crayon.

TABLEAU HIVERNAL : NICHOIR

à partir de 4 ans

- du carton gris clair
  (40 x 30 cm)
- du papier calque
- un crayon
- des ciseaux
- des chutes de liège
  ou du papier à dessin
  de couleur brune
- du papier à dessin blanc
- de la colle
- du papier à dessin
  de couleur noire
- des crayons gras
- du bristol gris
- des petites branches
- de la nourriture pour
  oiseaux
- un crochet pour tableau

Quoi de plus intéressant et amusant que d'observer des oiseaux dans un nichoir ? Vous pouvez ainsi admirer des merles effrontés, des mésanges impertinentes et des pigeons insouciants. Si vous avez de la chance, vous pourrez peut-être apercevoir un troglodyte ou un rouge-gorge.
Ce paysage hivernal vous amènera à prêter davantage attention aux animaux se trouvant dans votre environnement immédiat et

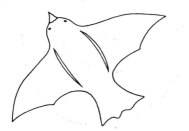

à vous interroger sur la manière de les aider.

1. Reportez le modèle du fond du nichoir sur le carton gris clair et découpez-le.

2. Décalquez ensuite les éléments du fond, du toit et les parties latérales sur les chutes de liège ou sur le carton brun, puis découpez-les.

3. Pour représenter la couche de neige sur le toit, décalquez le modèle sur du papier à dessin blanc et découpez-le.

4. Disposez ensuite les éléments en liège sur le carton gris pour former le nichoir et collez-les. Placez la couche de neige en papier à dessin sur le toit et collez-la également.

5. Décalquez à présent les oiseaux du patron sur du papier à dessin noir. Pour bien discerner les lignes, utilisez le cas échéant un crayon de couleur claire. Découpez les oiseaux, puis peignez les yeux, les becs et les ailes.

6. Décalquez la couronne sur du carton gris, découpez-la et collez-la sous le faîte du toit.

7. Disposez les oiseaux à l'intérieur du nichoir et collez également quelques branches.

8. Enduisez ensuite la couronne d'une bonne couche de colle et recouvrez-la de graines. Collez également quelques graines à la base du nichoir.

9. Enfin, collez le crochet pour tableau au dos du toit.

Le carnaval
des enfants

GUIRLANDE-SERPENT ET GUIRLANDE-DRAGON

à partir de 4 ans

- du bristol vert
- du papier à dessin jaune
- du papier à dessin vert foncé
- du papier calque
- un crayon
- des ciseaux
- du papier à dessin rouge
- de la colle
- du papier crépon vert et jaune
- un feutre noir
- du fil à coudre
- une aiguille
- des punaises
- du papier à dessin vert clair
- un feutre argenté
- du papier crépon bleu

Qui n'a jamais rêvé d'avoir deux gardes à l'allure aussi terrifiante que ce serpent ou ce dragon ? Suspendus au plafond, ils surveilleront de près tous les participants à votre prochaine fête carnavalesque.

Serpent

1. Décalquez sur le bristol vert la tête du serpent figurant sur le patron. Décalquez les yeux, l'iris en forme de goutte et le nez sur le papier à dessin jaune, puis dessinez les globes oculaires sur le papier à dessin vert foncé. Découpez ensuite tous ces éléments.

2. Sur le papier rouge, dessinez une langue fourchue et découpez-la.

3. Disposez ensuite tous les éléments sur la tête du serpent et collez-les.

4. Dessinez au feutre noir les pupilles et les narines, puis découpez des franges pour former les oreilles.

5. Il ne vous reste plus qu'à confectionner le corps de votre serpent. Il se compose d'anneaux en papier crépon jaune et vert, accrochés les uns aux autres comme les maillons d'une chaîne. À cet effet, commencez par découper une dizaine de bandes de 8 x 30 cm dans le papier crépon vert, puis dans le jaune.

6. Formez à présent un anneau en fermant une bande avec un point de colle. Passez ensuite une bande de l'autre couleur dans cet anneau et collez-la également. Continuez de la sorte en alternant les couleurs jusqu'à ce que vous obteniez une chaîne de 20 maillons.

7. Pour réaliser la queue du serpent, découpez 3 bandes vertes et 3 bandes jaunes de 5 x 22 cm. Collez-les les unes derrière les autres et ajoutez-les au corps.

8. Collez à présent la tête du serpent sur l'extrémité avant de la chaîne.
9. Pour suspendre ce fabuleux animal, prenez trois longueurs de fil à coudre. À l'aide d'une aiguille, passez la première dans la tête, puis nouez la seconde à l'extré-

mité de la queue et passez la troisième au travers de l'anneau central du corps.

10. Fixez le serpent au plafond de votre chambre avec des punaises.

Dragon

1. Décalquez la tête du dragon figurant sur le patron sur le papier à dessin vert foncé et le nez sur le papier à dessin vert clair. Décalquez les yeux et les narines sur du papier à dessin jaune et découpez ensuite tous les éléments.

2. Découpez les pupilles dans une chute de papier à dessin de couleur sombre et la langue fourchue dans le papier à dessin rouge.

3. Disposez ensuite les éléments sur la tête du dragon et collez-les.

4. Dessinez la bouche et les dents au feutre noir et au feutre argenté, puis tracez des stries dans les cornes.

5. Réalisez le corps du dragon de la même façon que celui du serpent, mais en utilisant cette fois du papier crépon vert et bleu pour les anneaux.

6. Suspendez également le dragon à l'aide de 3 punaises.

LUNETTE D'ASTRONOME

à partir de 4 ans

- des rouleaux de papier toilette vides
- de la colle
- 2 morceaux de film transparent (10 x 10 cm)
- des petites et des grandes étoiles de décoration de différentes couleurs
- du papier irisé ou du papier cadeau
- un crayon
- des ciseaux

Placez cette lunette d'astronome dans la lumière et regardez à l'intérieur : vous pourrez alors admirer des étoiles de teintes et de tailles différentes et les voir se déplacer dès que vous tournerez ou agiterez la lunette.
Un plaisir demandant peu d'argent et peu d'efforts.

1. Enduisez l'un des bords du rouleau de papier toilette de colle sur 3 cm environ, puis placez le rouleau verticalement au centre du premier morceau de film transparent.

2. Ramenez les bords du film sur le rouleau et collez-les.

3. Par l'orifice supérieur, introduisez des étoiles de tailles et de couleurs différentes.

4. Enduisez à présent le bord supérieur du rouleau de colle sur 3 cm.

5. Appliquez le deuxième morceau de film à plat sur l'orifice et collez les bords sur l'extérieur du rouleau. Veillez à ce qu'il soit correctement fixé sur la totalité du pourtour.

6. Recouvrez à présent le rouleau d'un joli papier. Il peut s'agir d'un papier irisé ou d'une chute de papier cadeau. Posez le rouleau sur la face arrière du papier et marquez la largeur nécessaire d'un trait de crayon. Pour déterminer la longueur, enroulez le rouleau dans le papier. Repérez l'emplacement ainsi obtenu et découpez la bande de papier.

7. Encollez ensuite toute la surface du rouleau et appliquez la bande de papier sur celui-ci.

GUIRLANDES DE FLEURS

à partir de 4 ans

- du carton fin
- du papier calque
- un crayon
- des ciseaux
- du papier de soie blanc
- du papier de soie rose
- un verre (diamètre 9 cm)
- du papier crépon vert
- une agrafeuse

Les feuilles et les fleurs se font encore attendre sur les arbres. Qu'importe, cette guirlande de fleurs donnera un air printanier à votre maison. Vous pouvez la fixer sur la porte d'un balcon ou d'une terrasse ou vous en servir pour décorer une pièce entière.

1. Pour confectionner un patron permettant de découper les pétales, décalquez le modèle de la page 204 sur du carton fin et découpez la forme obtenue.

2. Pliez ensuite la feuille de papier de soie blanc en deux ou en trois, appliquez le patron sur celle-ci et découpez le papier de soie autour du carton.

3. Pliez à présent le papier de soie rose en quatre et découpez un cercle d'environ 9 cm de diamètre. À cet effet, renversez le verre sur le papier et tracez-en le contour au crayon.

4. Dans le papier crépon vert, découpez à présent une bande d'environ 12 cm de large dans le sens de la longueur.

5. Pour réaliser une fleur, placez deux pétales blancs en croix l'un sur l'autre et déposez un cercle de couleur rose au centre. Saisissez la fleur par le dessous, appuyez légèrement en son centre avec l'index, puis torsadez légèrement la fleur de manière à ce que les pétales se redressent.

Agrafez ensuite la partie inférieure de la fleur sur la bande de papier crépon vert.

6. Fixez la fleur suivante à environ 20 cm de la première.

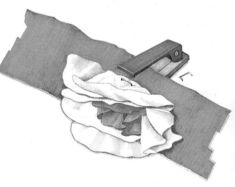

7. La longueur de la guirlande dépend de la hauteur de la pièce et du reste de la décoration. Vous pouvez également attacher des fleurs de différentes couleurs sur la bande de papier crépon.

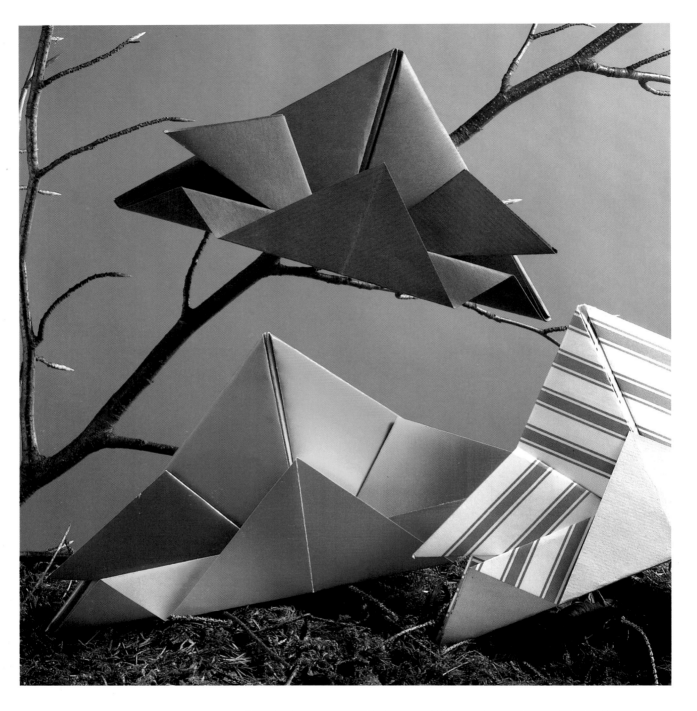

CHAPEAU
DE CHASSEUR

à partir de 5 ans

- des chutes de papier peint
  ou un morceau de papier
  de couleur (environ 38 x 38 cm)
- une règle
- un crayon
- des ciseaux
- un élastique en caoutchouc
- une grosse aiguille

Vous pourrez encore réaliser ce chapeau de chasseur quelques minutes avant le début de la fête. Il vous suffira pour cela d'une chute de papier peint ou d'un morceau de papier d'au moins 38 x 38 cm.

1. À l'aide de la règle, dessinez un carré de 38 x 38 cm sur le papier et découpez-le.

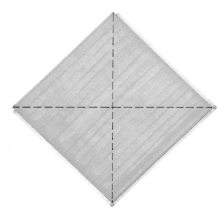

2. Pliez-le deux fois en diagonale et ouvrez-le à nouveau.

3. Rabattez le coin inférieur du carré sur la ligne médiane horizontale.

4. Ramenez à présent la moitié inférieure sur la moitié supérieure.

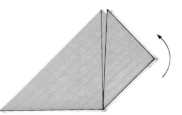

5. Retournez la figure, puis ramenez les pointes droite et gauche sur le coin supérieur. Marquez bien les plis.

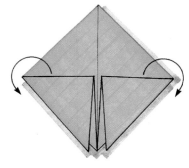

6. Rabattez les deux pointes supérieures vers le bas.

7. Pliez vers l'extérieur les deux pointes situées à présent en bas comme deux ailes.

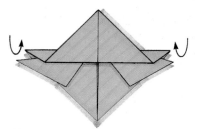

8. Pliez la moitié supérieure de la figure vers le bas le long de la ligne médiane, puis rabattez-la aux deux tiers vers le haut.

9. Rabattez à nouveau le coin supérieur vers le bas, de façon à ce que le pli coïncide avec la partie supérieure de la figure.

10. Le chapeau de chasseur est terminé. Il vous suffit à présent de le retourner et de le cintrer légèrement.

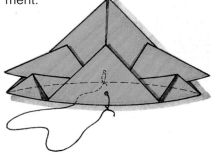

11. Pour qu'il tienne bien sur votre tête, passez un élastique des deux côtés à l'aide d'une aiguille et nouez-le. Vous mesurerez la longueur de l'élastique requise sur la tête du « chasseur ».

REQUIN MARTEAU

à partir de 5 ans

- du papier blanc pour machine à écrire
- du papier calque
- un crayon
- des ciseaux
- du papier à dessin gris
- de la colle
- un feutre noir
- une boîte à fromage ovale
- une perforatrice
- un élastique
- une cuiller à café
- de l'encre noire
- un peu de crème hydratante blanche (par exemple, crème Nivea)

En mer, le requin marteau est un prédateur redouté. Sur terre, les représentants de cette race extraordinaire de squales semblent plutôt apprécier les sucreries qu'ils amènent à leur gueule béante à l'aide de leurs nageoires avant !

1. Décalquez sur du papier blanc la mâchoire du requin figurant sur le patron et découpez-la. Si vous souhaitez obtenir une gueule de plus petite taille, vous pouvez décalquer le dessin ci-contre.

2. Décalquez ensuite les éléments de la tête et des nageoires sur le papier à dessin gris et découpez-les.

3. Collez la gueule sur la partie inférieure de la tête, puis peignez les deux yeux du requin sur les côtés de la partie supérieure.

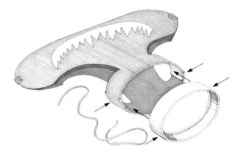

4. Extrayez le fond de la boîte de fromage de manière à ce qu'il ne reste plus que l'anneau en carton, sur lequel vous collerez la partie supérieure de la tête sur la bande prévue à cet effet (cf. schéma).

5. Collez ensuite la partie inférieure de la tête sur la partie supérieure et fixez le tout sur la bande de l'anneau en carton.

6. Pour pouvoir fixer la gueule du requin, percez deux trous dans les côtés étroits à l'aide de la perforatrice et nouez-y un élastique de 20 cm de long.

7. Pliez les deux parties de la nageoire dorsale le long de la ligne en pointillés et collez-les. Percez un trou au centre du côté avant et enfilez-y un élastique de 20 cm de long.

8. Percez à présent 2 trous dans chaque bord supérieur des deux nageoires pectorales. Dans chaque nageoire, enfilez un élastique de 15 cm de long dont vous nouerez les deux extrémités.

9. Pour obtenir la teinte grise, mélangez à l'aide de la cuiller à café 7 à 10 gouttes d'encre noire dans la crème hydratante blanche. Avant de vous déguiser, enduisez-vous le visage et les mains de ce mélange et étalez légèrement celui-ci. Le maquillage du requin part parfaitement à l'eau, et si vous tachez vos vêtements, nettoyez-les à l'eau et au savon.

La tête peut être portée avec la mâchoire vers le haut ou vers le bas. Certes — si l'on veut rester logique —, les requins avec une gueule orientée vers le haut constituent plutôt une bizarrerie anatomique, mais dans notre cas, ils sont d'autant plus faciles à reconnaître !

GUIRLANDE DE TISSUS

à partir de 5 ans

- des chutes de tissu
- des ciseaux ou des ciseaux dentelés
- du fil de coton
- une aiguille
- un rouleau d'essuie-tout vide

Cette guirlande constitue une jolie décoration qui conviendra à toutes les fêtes. Si vous l'installez à l'extérieur et qu'elle est mouillée, laissez-la simplement suspendue. Comme les vêtements sur une corde à linge, les franges sécheront et vous pourrez à nouveau utiliser la guirlande.

Pour réunir les chutes de tissu, adressez-vous à un tailleur, à une couturière ou à un magasin de dé-

coration qui acceptera certainement de vous donner des échantillons.

1. Découpez 30 à 40 bandes de tissu de longueurs et de largeurs différentes. À cet effet, utilisez soit une paire de ciseaux normale, soit des ciseaux dentelés.

2. Mesurez ensuite la longueur de la guirlande. Le plus simple est de tendre le fil de laine sur lequel vous voulez suspendre les franges au travers de la pièce ou du jardin. De la sorte, vous serez certain de découper le fil à la bonne longueur.

3. Enfilez l'aiguille et passez le fil dans toutes les bandes de tissu. À cet effet, faites un point de devant à l'extrémité supérieure de chaque bande. Laissez environ 3 à 5 cm entre chaque bande.

4. Suspendez la guirlande dans votre chambre ou dans votre jardin. Les invités seront ravis de voir les franges multicolores voleter au moindre souffle de vent.

5. Pour conserver la guirlande, enroulez-la autour d'un rouleau d'essuie-tout vide pour éviter que le fil ne s'emmêle.

GUIRLANDE :
CITÉ ORIENTALE

à partir de 5 ans

- du papier Ingres
  de différentes couleurs
  (20 x 20 cm)
- du papier calque
- un crayon
- des ciseaux
- une agrafeuse
- de la colle

Voici une petite astuce pour découper extrêmement vite une guirlande : superposez quatre feuilles de papier afin de découper simultanément le motif en plusieurs exemplaires. Pour éviter que les feuilles ne bougent, agrafez-les en trois endroits ne faisant pas partie du motif.

1. Commencez par reproduire sur une feuille le motif « Cité orientale » de la page 205.

2. Superposez ensuite 3 autres feuilles et placez le motif décalqué au-dessus de celles-ci. Agrafez les feuilles par le bord supérieur en 3 endroits.

3. Découpez à présent avec précaution les créneaux et les tours.

4. Pour obtenir une guirlande, attachez les feuilles par les côtés en faisant se chevaucher la dernière tour d'une feuille et le premier bâtiment de la suivante.

PETITS PERSONNAGES ÉPINGLÉS

à partir de 4 ans

- *des cure-pipes*
- *des ciseaux*
- *des chutes de cuir*
- *un stylo à bille*
- *de la colle*
- *4 petites perles en bois (diamètre 0,5 cm)*
- *1 grosse perle en bois (diamètre 1,5 cm)*
- *de la laine noire*
- *des petites bandes de cuir*
- *des petites plumes*
- *une épingle*

Une surprise qui ravira les invités de votre prochaine fête de carnaval : de petits personnages que l'on peut épingler sur un pull-over ou un T-shirt. L'Indien constitue le personnage de base. Une fois que vous l'aurez confectionné, vous pourrez réaliser toutes les autres figurines.

L'Indien

1. Découpez un morceau de cure-pipe de 3,5 cm de long pour les bras et un autre de 9 cm pour les jambes.

2. Pliez les jambes en deux et passez les bras dans la boucle en veillant à les centrer parfaitement.

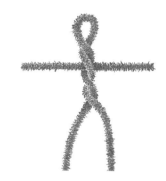

3. Pour réaliser le cou de l'Indien, entortillez le morceau de cure-pipe situé au-dessus des bras.

4. Procédez de même avec la partie située en dessous afin de fixer les bras.

5. Pour confectionner le poncho, pliez le carré de cuir en deux et découpez une fente en V pour l'encolure.

6. Dessinez un motif au stylo au bas du poncho, puis effrangez le bord avec les ciseaux.

7. Décorez la grosse perle de cheveux réalisés avec des brins de laine et ajoutez une mince bande de cuir dans laquelle vous glisserez une petite plume.

8. Enfilez le poncho sur le petit personnage, puis collez 4 petites perles en bois aux extrémités des bras et des jambes pour symboliser les mains et les pieds.

9. Enduisez le cou de colle et disposez la perle représentant la tête.

10. Pour finir, collez l'épingle au dos de l'Indien.

Suivant le matériel dont vous disposez, vous pourrez réaliser d'autres petites figurines. À la place des Indiens, des Esquimaux ou des Chinois, vous pouvez confectionner des personnages de contes de fée, comme des nains, des magiciens, des princesses ou des sorcières.

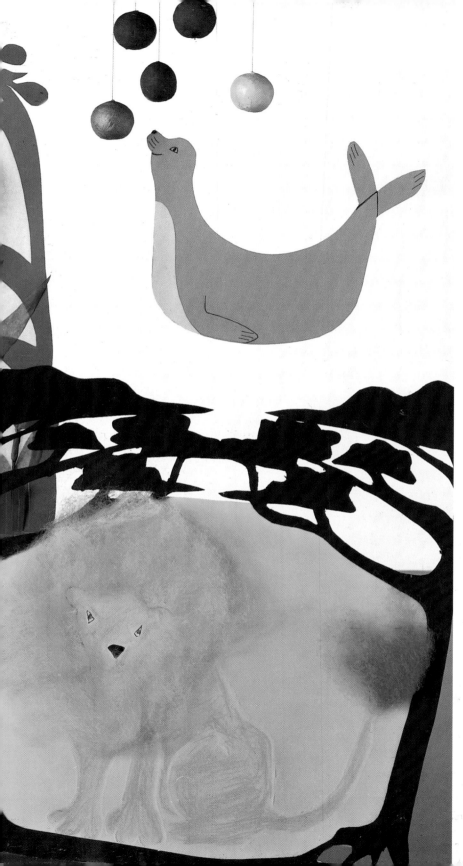

Décorations
pour chambre
d'enfant

PAYSAGE PRINTANIER

à partir de 6 ans

- 1 feuille de papier à dessin vert (DIN A4)
- du papier calque
- un crayon
- des ciseaux
- 1 feuille de papier de soie blanc (DIN A4)
- de la colle
- des chutes de papier de soie de différentes couleurs
- un verre
- 1 feuille de papier de soie vert (DIN A4)
- de la ouate

Ce décor de fenêtre présentant les premières fleurs à éclore fera entrer le printemps dans votre chambre. Pour éviter que les points de colle ne se voient à contre-jour, veillez à utiliser très peu de colle pour ce bricolage.

1. Commencez par décalquer sur le papier à dessin vert le cadre végétal figurant sur le patron et découpez-le. Effrangez le bas de l'intérieur du cadre pour représenter des brins d'herbe.

2. Collez le cadre sur du papier de soie blanc, puis éliminez l'excès de papier.

3. Décalquez la fleur des jonquilles sur du papier de soie jaune et découpez-la.

Jonquille

4. Pliez les pétales de la jonquille légèrement vers l'extérieur, puis collez la bande de façon à obtenir un tube et effrangez le bord de la jonquille.

5. Décalquez ensuite les carrés pour les tulipes, les perce-neige et les crocus sur les chutes de papier de soie de différentes couleurs et découpez-les.

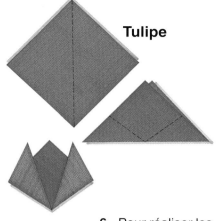

Tulipe

6. Pour réaliser les tulipes, pliez le grand carré en diagonale pour obtenir un triangle. Rabattez ensuite les pointes gauche et droite comme indiqué sur le schéma ci-dessus.

Perce-neige

7. Pliez les perce-neige comme les tulipes, en rabattant toutefois les pointes plus loin vers l'extérieur afin d'obtenir des fleurs en forme de clochettes.

Crocus

8. Pour confectionner les crocus, réitérez le pliage des tulipes. Pour obtenir une fleur étroite, repliez

les pointes gauche et droite pratiquement à la verticale.

9. Pour l'anémone, dessinez un cercle à l'aide du verre sur du papier de soie de couleur et découpez-le. Chiffonnez-le en forme de fleur. Formez une boule avec un petit morceau de papier de soie jaune et collez-la au centre de l'anémone.

10. Dans du papier de soie vert, découpez des feuilles de différentes formes. Les feuilles des jonquilles et des tulipes sont allongées et ovales, tandis que celles des perce-neige et des crocus sont courtes et dentelées. Certaines feuilles peuvent également être effrangées.

11. Il ne reste plus qu'à confectionner les tiges. Pour chacune d'entre elles, découpez une bande d'environ 1 cm de large dans du papier de soie vert. Enroulez la bande jusqu'à ce qu'elle se torsade légèrement.

12. Disposez harmonieusement les fleurs à l'intérieur du cadre. Lorsque vous êtes satisfait du résultat, collez-les. Décorez les jonquilles avec de la ouate. Fixez ensuite une tige sur chaque fleur et collez l'extrémité inférieure de chacune d'entre elles derrière le bord herbeux du cadre. Disposez ensuite les feuilles sur les tiges et collez-les.

DÉCORATIONS DE PORTE

à partir de 4 ans

- du papier cadeau
  ou des feuilles de calendrier
  à petits motifs
- des ciseaux
- du bristol
- de la colle
- une perforatrice
  ou une aiguille à repriser
- du ruban cadeau

Ces jolies décorations de porte indiquent aux invités où se trouve le royaume des enfants. En outre, elles les invitent gentiment à frapper avant d'entrer.

1. Choisissez un joli motif dans un calendrier ou une feuille de papier cadeau et découpez-le en un arrondi irrégulier.

2. Découpez-le ensuite en plusieurs morceaux (coupez en ligne droite), afin d'obtenir un puzzle.

3. Collez les différents éléments sur du bristol en laissant 3 mm entre chacun d'entre eux.

4. Découpez ensuite les contours de façon à obtenir une espèce de cadre. La largeur du bord peut être irrégulière.

5. Avec la perforatrice, percez deux orifices dans le bord supérieur du cadre. Si vous ne disposez pas d'une perforatrice, utilisez une grosse aiguille à repriser.

6. Pour suspendre le cadre, passez un ruban dans les orifices et nouez-le au dos. Si vous le désirez, vous pouvez former des boucles aux extrémités du ruban.

MOBILE : PHOQUE

à partir de 4 ans

- 6 boules de ouate
- 6 piques en bois
- de la peinture acrylique jaune, rouge, verte, bleue et violette
- des soucoupes
- un pinceau
- une plaque de polystyrène ou un verre
- du bristol gris
- du papier calque
- un crayon
- des ciseaux
- un feutre noir
- du papier blanc
- de la colle
- du fil et une aiguille

Il est fascinant d'observer l'adresse avec laquelle un phoque pourtant si lourd et si gros peut jongler avec des balles.
Ce mobile perpétuera le souvenir d'une belle après-midi au cirque.

1. Prenez une boule de ouate et placez-la sur une pique en bois. Versez ensuite un peu de peinture jaune dans une soucoupe et peignez entièrement la balle de ouate au pinceau. La pique en bois vous permettra de la tourner aisément dans tous les sens.

2. Dès que la première balle est terminée, plantez la pique dans la plaque de polystyrène ou placez-la verticalement dans un verre pour qu'elle sèche.

3. Placez la balle suivante sur une pique et peignez-la en rouge. Attention : vous devez impérativement rincer abondamment le pinceau entre chaque changement de couleur.

4. Peignez les autres balles en vert, bleu et violet.

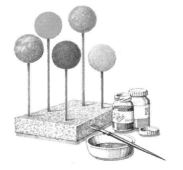

5. Décalquez ensuite le phoque du patron sur le bristol gris et découpez-le. Dessinez le nez, les yeux, les moustaches, la bouche, les nageoires et la queue au feutre noir.

6. Décalquez deux fois le poitrail blanc sur le papier blanc et découpez les deux éléments. Collez-en un de chaque côté du phoque.

7. Lorsque le phoque est terminé, passez un ou deux fils dans le corps de l'animal à l'aide de l'aiguille.

8. Suspendez ensuite le phoque à un endroit approprié de votre chambre et disposez les balles, que vous aurez également suspendues à des fils, autour de son museau de façon à donner l'impression qu'il jongle.

Une fois suspendus à une fenêtre, ces vitraux transparents produiront un effet magnifique, grâce aux jeux de la lumière sur leurs formes et leurs couleurs. Il est possible de les réaliser en diverses tailles sans rien modifier au mode de conception.

1. Pour réaliser la forme de base, prenez la feuille de papier vitrail blanc, retournez le saladier sur elle et tracez-en les contours au feutre noir. Découpez le cercle ainsi obtenu.

2. Faites de même sur chaque feuille de papier vitrail de couleur.

3. Pliez trois fois de suite les disques de couleur en deux. Vous devez obtenir un secteur d'un huitième de cercle.

4. Sur ce huitième de cercle, dessinez au feutre noir différents motifs linéaires. Si vous le souhaitez, vous pouvez vous inspirer des dessins figurant au bas de cette page.

5. Découpez ensuite les motifs, puis ouvrez les disques. Vous obtiendrez des cercles, des disques et des étoiles de différentes formes.

6. Collez-les les uns après les autres sur le fond blanc en commençant par le plus grand. Pourquoi ne pas terminer par une petite étoile que vous collerez au centre du vitrail ?

7. Fixez le transparent directement sur la fenêtre avec un petit morceau de ruban adhésif double face ou passez un fil au sommet à l'aide d'une aiguille et suspendez-le.

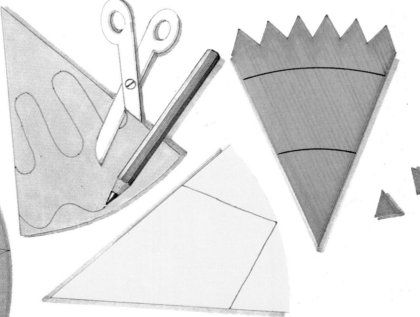

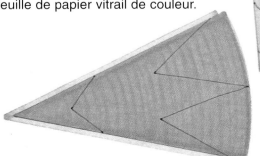

TABLEAU AU LION

à partir de 5 ans

- du papier à dessin jaune (30 x 25 cm)
- du papier calque
- un crayon
- des ciseaux
- de vieux journaux
- un stylo à bille
- un crayon gras orange
- un feutre noir et un feutre vert
- de la ouate couleur caramel et jaune
- de la colle
- du bristol noir (35 x 35 cm)
- un cutter

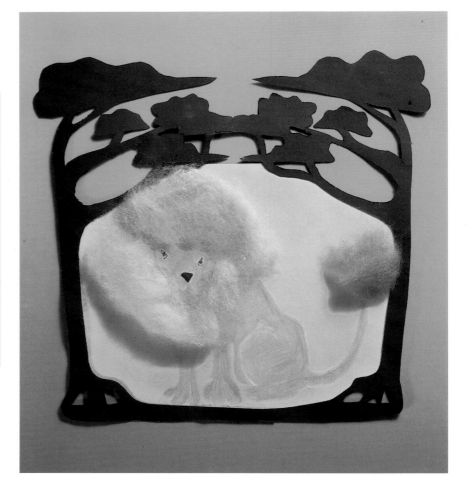

Un lion à la majestueuse crinière est assis sous les arbres de la savane et observe le paysage.
Un joli tableau qui occupera une place particulière sur le mur de la chambre d'enfants.

1. Reproduisez le lion du patron sur le papier calque et reportez-le sur le papier à dessin jaune.

2. Placez ensuite celui-ci sur du papier journal et repassez les lignes au stylo à bille en insistant fortement. Les contours doivent bien apparaître de l'autre côté. Marquez ensuite l'emplacement du museau et des yeux en procédant de la même manière.

3. Retournez la feuille et coloriez le corps du lion avec le crayon gras orange.

4. Dessinez ensuite, aux emplacements repérés, le nez au feutre noir et les pupilles au feutre vert.

5. Pour la houppette de la queue, collez une petite touffe de ouate de couleur caramel.

6. Prenez ensuite de la ouate jaune, puis étirez-la quelque peu pour obtenir des bandes allongées que vous collerez autour de la gueule du lion pour former la crinière.

7. Décalquez à présent le cadre du patron avec les arbres de la savane sur le papier à dessin, puis découpez-le à l'aide du cutter.

8. Collez le cadre de façon à ce que le lion soit sous les arbres. Éliminez avec précaution les éléments jaunes qui dépassent.

TISSAGE SUR JANTE DE BICYCLETTE

à partir de 5 ans

- une vieille jante de bicyclette
- une bobine de ficelle
- des ciseaux
- une aiguille à tisser
- une navette de tisserand
- des chutes de laine de différentes couleurs
- des perles, des boutons, des anneaux en bois, des plumes, des branches et des matériaux de décoration

Ce motif tissé sur une jante de bicyclette sera du plus bel effet si vous l'accrochez au mur, mais aussi si vous le suspendez devant une fenêtre.

Si vous ne disposez pas d'une jante de bicyclette usagée, vous pouvez vous en procurer une chez un marchand de.cycles.

1. Commencez par tendre la ficelle sur la jante. À cet effet, passez une extrémité de la ficelle dans l'un des orifices de la jante, puis par l'orifice situé exactement en face de celui-ci. Passez ensuite au trou situé immédiatement à gauche et amenez ensuite la ficelle jusqu'au trou situé immédiatement à droite de l'orifice de départ. Poursuivez l'opération jusqu'à ce que toute la jante soit tendue de ficelle.

2. Nouez ensemble les extrémités de la ficelle. Vous les utiliserez ultérieurement pour suspendre la jante.

3. Pour tisser, procédez de la façon suivante : commencez par enfiler l'aiguille avec un morceau de ficelle d'environ 1 m de long et tissez d'abord sur les fils se croisant au centre. Continuez avec des brins de laine de couleurs différentes.

4. Tissez ensuite des motifs à votre guise. Pour fixer les brins de départ et d'arrivée, nouez-les sur l'un des fils tendus.

5. Les perles, boutons et anneaux de bois sont d'abord enfilés sur le fil, puis insé-

rés dans le tissage. Les plumes, branches et autres matériaux de décoration sont noués directement sur la ficelle à l'aide d'un fil.

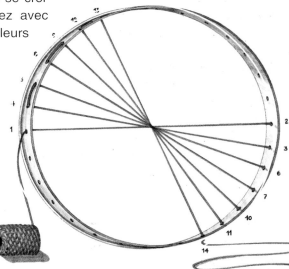

CALENDRIER D'ANNIVERSAIRE À MONTGOLFIÈRES

à partir de 4 ans

- une feuille de bristol blanc (DIN A2)
- de la peinture acrylique bleue
- un tablier
- des vieux journaux
- une soucoupe contenant un peu d'eau
- un pinceau large
- du papier à dessin de différentes couleurs
- du papier calque
- un crayon
- des ciseaux
- du carton ondulé de différentes teintes
- des photos de vos petits camarades
- de la colle
- un feutre noir
- des punaises

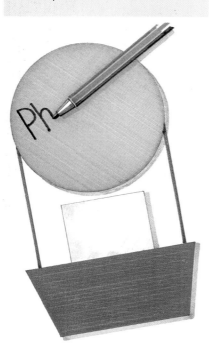

Vous placerez dans chaque nacelle la photo de l'un de vos amis dont vous ne voulez surtout pas oublier l'anniversaire. Inscrivez la date sur le ballon afin de vous en souvenir en temps utile.

1. Commencez par peindre le bristol en bleu. À cet effet, enfilez un tablier et recouvrez votre plan de travail de vieux journaux. Mélangez la peinture à un peu d'eau dans une soucoupe.

2. Avec un pinceau large, appliquez uniformément la peinture sur le bristol, puis laissez celui-ci sécher.

3. Pendant ce temps, déterminez le nombre de camarades qui figureront sur votre calendrier. Pour chacun d'entre eux, décalquez la montgolfière du patron sur l'une des feuilles de papier à dessin de couleur, puis découpez-la.

4. Pour donner une nacelle à chaque ballon, décalquez ensuite le motif de la nacelle figurant sur le patron au dos du carton ondulé, puis découpez-le.

5. Disposez à présent tous les ballons et toutes les nacelles sur le carton sec. Découpez les photos de vos amis à la bonne taille et placez-les à l'intérieur des nacelles.

6. Collez les différents éléments sur le carton, puis reliez nacelles et ballons par des traits noirs.

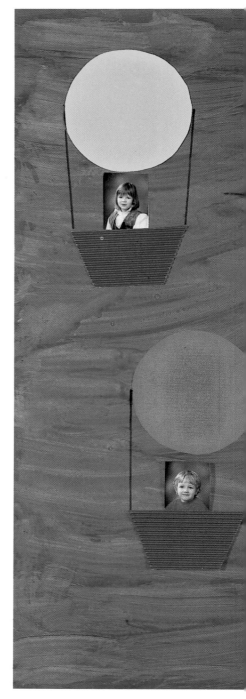

7. Inscrivez le nom de vos amis sur les ballons et la date de leur anniversaire sur les nacelles.

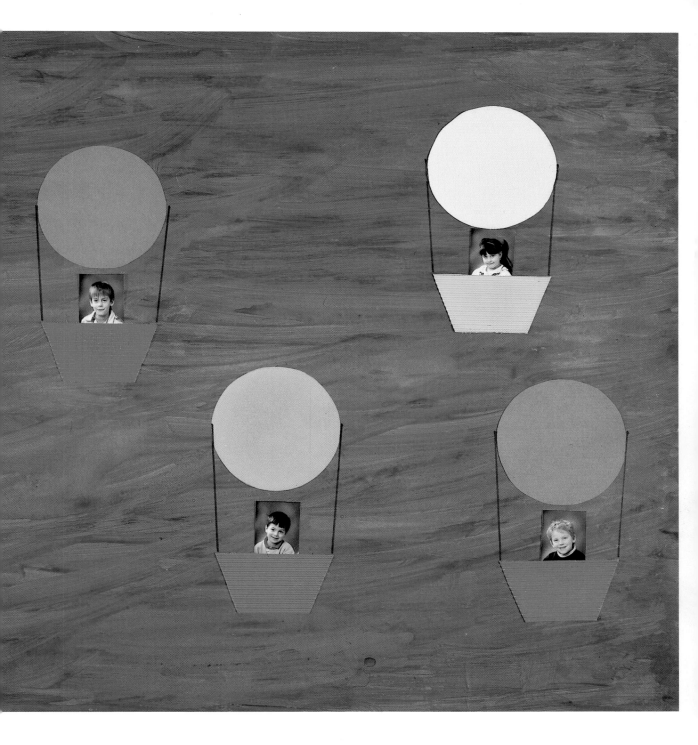

8. Fixez le calendrier au mur avec des punaises.

CACHE-CACHE TACTILE

à partir de 6 ans

- au moins 10 paires de petits objets faciles à reconnaître au toucher, par exemple : allumettes, boutons, pièces de monnaie, timbres, chutes de tissu, noisettes, brins de laine, trombones, anneaux de rideaux et morceaux de liège
- du bristol de couleur
- de la colle
- une boîte colorée avec un couvercle (20 x 20 cm)
- un compas
- une vieille chaussette
- des ciseaux
- un crayon

Nous avons tous une bonne mémoire, mais qu'en est-il de notre sens du toucher ? Sommes-nous capables de reconnaître deux objets identiques uniquement en les palpant ?

Le « cache-cache tactile » vous permettra de répondre à ces questions. Et les règles du jeu sont si simples à expliquer, que même les plus jeunes enfants pourront y jouer !

Cartes

1. Commencez par découper 20 à 40 carrés de 6 x 6 cm dans le bristol de couleur. Un conseil : rendez-vous dans un magasin de fournitures artistiques ou chez un photographe et demandez qu'on vous les découpe à la rogneuse. Cela vous demandera moins de temps que de les découper à la main et surtout, tous les carrés auront exactement la même forme.

2. Collez ensuite les paires d'objets sur des cartons de même couleur ; par exemple, une allumette sur les deux premiers carrés et des boutons sur la paire suivante. Poursuivez avec des pièces de monnaie, des timbres, des chutes de tissu, etc. Les organisateurs perfides prévoiront des pièges et constitueront des paires avec des brins de laine d'épaisseurs différentes, des boutons de formes différentes ou des pièces de monnaie de taille identique mais d'origines différentes.

Boîte

1. Pour permettre de passer la main dans la boîte, dessinez sur

un des côtés de celle-ci un cercle de 10 cm de diamètre à l'aide d'un compas.

2. Avec les ciseaux, percez un trou au centre de ce cercle, puis évidez-le complètement.

3. Coupez le pied de la vieille chaussette.

4. Retournez la chaussette, fixez l'extrémité découpée de celle-ci à l'intérieur de la boîte, autour de l'orifice. Laissez sécher la colle, puis sortez la chaussette par l'extérieur de la boîte.

Elle réapparaîtra ainsi à l'endroit et constituera le tunnel dans lequel les joueurs plongeront la main pour palper les cartes.

Règles du jeu

1. Disposez la moitié des paires de cartes sur la table et l'autre dans la boîte.

2. Le premier joueur choisit une carte parmi celles qui sont sur la table, il la nomme et la palpe. Il plonge ensuite la main dans la boîte et tente de retrouver la carte identique, qu'il sort.

3. S'il s'agit de la bonne carte, il la conserve et tente sa chance une seconde fois. S'il s'est trompé, il remet la carte tirée dans la boîte et le second joueur le remplace.

4. Le vainqueur est celui qui possède le plus grand nombre de cartes à la fin du jeu.

CARILLON EN ARGILE

à partir de 4 ans

- de l'argile
- un morceau de toile cirée
- un rouleau à pâtisserie
- un gobelet
  (diamètre environ 9 cm)
- un chiffon humide
- du film plastique
- un couteau
- un cure-dents en bois
- un plateau
- du carton rigide
- de la corde
- une aiguille

Quel plaisir de réaliser de jolis objets en argile. Toutefois, avant d'acheter le matériel, vous devrez déterminer l'endroit où vous cuirez vos œuvres. Souvent, les écoles ou les magasins d'activités manuelles sont disposés à le faire. Pour conserver de l'argile pendant une longue période, il est conseillé de l'envelopper dans des chiffons humides, puis dans un film plastique afin d'éviter qu'elle ne sèche.

1. Sur la toile cirée, aplatissez une boule d'argile en une mince galette.

2. À l'aide du gobelet, découpez environ 5 disques. Ôtez l'excédent d'argile et replacez-le sous le chiffon humide.

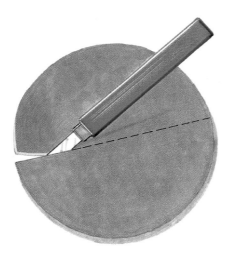

Découpez ensuite chaque disque en deux de manière à obtenir des demi-cercles.

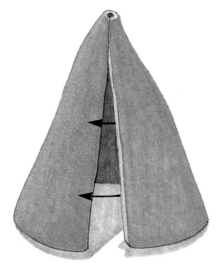

3. Pour réaliser un cône de cloche, prenez un demi-cercle et fermez-le. Pressez avec précaution les deux bords l'un contre l'autre, puis lissez de l'intérieur les points de contact avec l'index.

4. À l'aide du cure-dents, percez un orifice au sommet du cône afin de pouvoir passer la cordelette.

5. Toujours à l'aide du cure-dents, dessinez des petits points sur l'extérieur du cône pour le décorer.

6. Réalisez 9 cônes de cette façon, puis faites-les sécher sur un plateau que vous aurez au préalable recouvert d'un morceau de carton rigide.

7. Confectionnez ensuite 15 à 20 petites boules d'argile et percez-les à l'aide du cure-dents. Vous réaliserez ainsi plus de perles qu'il ne vous en faut pour le carillon, afin de pouvoir sélectionner ensuite celles qui conviennent.

8. Laissez les perles et les cônes sécher sur le plateau pendant environ 2 semaines, puis portez-les à cuire.

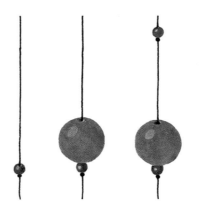

9. Pour le montage du carillon, procédez de la façon suivante : enfilez l'aiguille avec la cordelette et faites un nœud à environ 5 cm de son extrémité. Prenez une perle pouvant se mouvoir à l'intérieur d'un cône et enfilez-la jusqu'au nœud.

10. Enfilez ensuite le cône et faites-le descendre jusqu'à ce que la perle puisse toucher son bord intérieur. Repérez cet emplacement, retirez le cône et faites à nouveau un nœud sur la cordelette. Repassez le cône et assurez-vous que la clochette tinte.

11. Placez la clochette suivante à environ 6 cm de la première et réalisez de la même manière 3 cordelettes de 2 à 4 clochettes.

12. Suspendez les ficelles à faible distance les unes des autres. Un léger vent ou un léger choc sur le fil le plus long fera tinter le carillon.

Conseil : Pour rendre le carillon encore plus esthétique, vous pouvez enfiler des petites perles de bois entre les nœuds et les perles en argile et entre les nœuds et les cônes.

Bricolages de Pâques

LAPIN EN CORDE
À SAUTER

à partir de 10 ans

- une corde à sauter
- de vieux journaux
- de la colle
- une bobine de ficelle
- du carton ondulé
- des ciseaux
- du papier crépon vert
- du papier à dessin brun
- du papier calque
- un feutre noir

La corde à sauter compte parmi les jouets les plus populaires. Emballée dans un lièvre de Pâques, elle fera un cadeau sympa pour une amie.

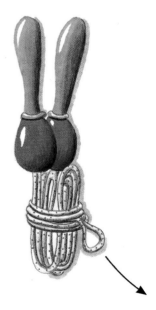

1. Commencez par enrouler la corde : maintenez les poignées à la même hauteur et enroulez la corde en boucles d'environ 15 cm.

2. Enroulez l'extrémité de la corde deux fois autour de l'écheveau ainsi formé, puis rentrez-la à l'intérieur et tirez pour serrer.

3. Réalisez ensuite le corps du lapin. Pour que Jeannot Lapin n'ait pas l'air trop mince, enveloppez la corde de journaux. Superposez deux feuilles de papier journal et pliez-les en une bande d'environ 50 cm de long sur 15 cm de large.

4. Enroulez cette bande autour de la corde et collez le bord. Nouez en outre un morceau de ficelle autour du ventre du lapin.

5. Découpez à présent un rectangle de carton ondulé de 40 x 17 cm.

6. Enroulez la bande de carton ondulé deux fois autour du rouleau de papier journal et collez le bord latéral.

7. Nouez une nouvelle fois un morceau de ficelle autour du ventre, en serrant légèrement pour former la taille.

8. Pour représenter l'herbe, découpez un rectangle de papier crépon vert de 60 x 10 cm. Effrangez le bord supérieur de celui-ci en bandes.

9. Collez le papier crépon en plusieurs points autour du corps du

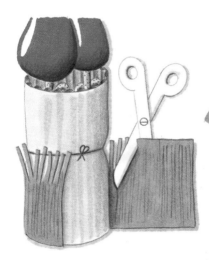

lapin en orientant les franges vers le haut.

10. Décalquez ensuite les pieds du lapin de la page 204 sur du papier à dessin brun.

11. Collez le corps du lapin sur les pieds, et dessinez des yeux et un museau au feutre noir.

12. Pour confectionner les moustaches, découpez une bande de papier à dessin brun dont vous effrangerez les bords latéraux, puis collez-la sous le museau.

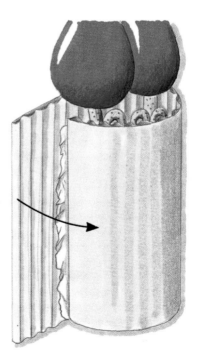

LAPIN EN ARGILE

à partir de 4 ans

- de l'argile
- une planche de cuisine
- une pique à brochette
- un stylo à bille
- du carton rigide

Ces lapins de Pâques constitueront une jolie décoration de table, mais aussi un petit cadeau très apprécié. Vous pourrez en confectionner une douzaine.

1. À partir d'un petit morceau d'argile, formez un ovale qui constituera le corps.

2. Pour la tête, prenez un morceau d'argile un tiers plus petit que le premier et faites-en une boule. Pressez la boule contre l'ovale et « soudez » les deux éléments en lissant la matière.

3. Pour les oreilles, formez des petits rouleaux allongés en argile et pressez-les sur la tête et le corps à l'aide de la pique à brochette. Vous obtiendrez de petites rainures au centre des oreilles.

4. Pour représenter les yeux, enfoncez l'extrémité du stylo, mine rentrée, de part et d'autre de la tête. Dessinez les moustaches avec la pointe de la pique à brochette.

5. Pour terminer, formez un très petit ovale en argile et pressez-le à l'arrière du corps pour représenter la queue.

6. Laissez sécher votre lapin une semaine sur le carton, puis amenez-le pour la cuisson dans un magasin de bricolage ou dans un magasin de poterie qui propose ce service.

ŒUFS DE PÂQUES
EN FIL DORÉ

à partir de 10 ans

- *des serviettes en papier
  (33 x 33 cm)*
- *des ciseaux*
- *des œufs en polystyrène*
- *un bâton de colle*
- *du fil doré*
- *du fil à coudre*

Voici une nouvelle méthode pour décorer les œufs : les emballer dans des serviettes en papier. À cet effet, choisissez des serviettes dont les motifs vous plaisent particulièrement.

1. Découpez une serviette en papier en quatre parties égales.

2. Pour chaque œuf, vous utiliserez un de ces carrés. Encollez l'œuf en polystyrène sur son « équateur » et enroulez-le dans le carré de serviette.

3. Encollez ensuite légèrement les deux « pôles » et refermez la serviette. Vous obtiendrez des plis.

4. Entourez l'œuf de fil doré et torsadez les deux extrémités de celui-ci. Au début du fil, laissez dépasser environ 1 cm, puis entourez trois à quatre fois l'œuf. Après chaque tour, nouez le fil au point central, de façon à obtenir une série de rayons à partir de celui-ci.

5. Choisissez ensuite un autre point central, tordez le fil de façon à obtenir un œillet d'environ

1 cm à partir duquel vous ferez trois ou quatre tours supplémentaires.

6. Coupez enfin le fil et torsadez-le plusieurs fois avec l'œillet. À l'aide des ciseaux, rabattez les extrémités des fils sous les deux points de nœud.

7. Pour suspendre l'œuf, passez d'un côté de l'œuf un fil à coudre dont vous nouerez ensemble les deux extrémités.

67

NID DE POULE

à partir de 4 ans

- 1 petit saladier
- du film plastique transparent
- des vieux journaux
- du papier blanc pour machine à écrire
- de la colle à papier peint
- des ciseaux
- du papier calque
- un crayon
- du bristol blanc
- de la gouache de différentes couleurs
- un pinceau
- de la colle
- des plumes blanches (environ 30 g)

Pour Pâques, pourquoi ne pas prévoir cette jolie surprise : un petit nid décoré de plumes blanches et de duvet. Avant la fête, vous les remplirez de sucreries et d'œufs multicolores.

Procurez-vous de jolies plumes dans un magasin spécialisé en literie ou cherchez un vieil oreiller que vous pourrez découper.

1. Commencez par réaliser la forme de base en papier mâché. À cet effet, recouvrez entièrement l'extérieur du saladier de film en plastique transparent, dont vous rabattrez les bords à l'intérieur.

2. Recouvrez votre plan de travail de vieux journaux et retournez le saladier sur ceux-ci.

4. Laissez sécher le tout pendant 24 heures, puis sortez le saladier et éliminez le film en plastique. Avec des ciseaux, rectifiez l'arrondi.

5. Réalisez à présent la forme de poule. Décalquez la tête et la queue de la page 206 sur du bristol blanc et découpez-les.

6. Peignez les deux côtés de la crête et du jabot en rouge, le bec en jaune et les yeux en noir.

3. Enduisez les unes après les autres les feuilles de papier blanc de colle à papier peint, puis appliquez-les sur le saladier. Lorsque l'extérieur de celui-ci est complètement recouvert, encollez à nouveau la surface.

7. Au centre de la ligne de base, pratiquez une entaille en pointe jusqu'à hauteur de la ligne en pointillés, puis repliez chacune des demi-languettes ainsi obtenues vers la gauche et vers la droite.

8. Collez à présent, par les languettes, la tête et la queue sur le saladier en papier mâché.

9 Pour terminer, la poule recevra son habit de plumes. À cet effet, collez les plumes blanches en les disposant comme des écailles, de haut en bas autour du saladier. Prévoyez également des plumes pour la tête et la queue.

LAPIN COURT !

à partir de 6 ans

- du bristol vert
- du papier calque
- un crayon
- des ciseaux
- une perforatrice
- du bristol brun
- des chutes de papier
  à dessin de différentes
  couleurs
- de la colle
- des attaches parisiennes

Ces deux lapins sautillant autour d'un nid de Pâques constitueront un amusant passe-temps pour des enfants. D'ailleurs, nos arrière-grands-parents s'amusaient déjà à ce type de jeu.

1. Décalquez les deux supports figurant sur le patron et reportez-les sur du bristol vert. Découpez-les et percez, à l'aide de la perforatrice, deux trous par bande aux points de repère.

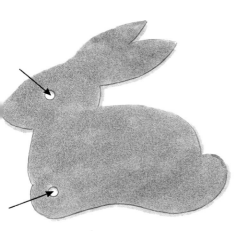

2. Décalquez deux fois la forme de lapin sur du bristol brun, découpez-les et percez également deux trous au niveau des points de repère.

3. Décalquez le nid et les 3 œufs sur des chutes de papier à dessin de différentes couleurs et découpez les éléments obtenus.

4. Il ne vous reste plus qu'à assembler le jeu. Commencez par coller les œufs sur la bande de bristol inférieure, et ce, juste au milieu des deux trous, puis placez le nid. La bande inférieure est la

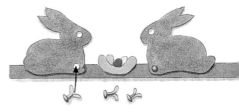

plus longue. Ses trous seront orientés vers la gauche, ceux de la bande supérieure vers la droite.

5. Fixez les deux lapins à droite et à gauche du nid en passant les attaches parisiennes, par l'avant, dans les trous des lapins et de la bande de bristol.

Rabattez les languettes métalliques au dos du motif.

6. Placez ensuite la bande supérieure derrière la tête des lapins de façon à ce que son extrémité gauche dépasse légèrement du motif. Fixez-la également à l'aide d'attaches parisiennes que vous introduirez dans les orifices.

Et voilà, les lapins peuvent à présent courir. En effet, lorsque vous déplacez les deux bandes de carton vert, les lapins se mettent à bouger.

LAPIN EN PÂTE LEVÉE

à partir de 4 ans

- du papier sulfurisé
- un crayon
- une plaque à pâtisserie
- un plat allant au four
- 500 g de farine
- 30 g de levure de boulanger
- 1/4 l de lait tiède
- 40 g de sucre
- un torchon
- 50 g de beurre
- 2 œufs
- 1 pincée de sel
- un couteau
- un œuf cuit dur ou gobé
- 2 raisins secs
- 1 amande épluchée
- une tasse
- un pinceau de cuisine

Pas de petit-déjeuner de Pâques sans gâteau à pâte levée. À cette occasion, ce lapin produira un effet particulièrement remarqué. Même les plus jeunes enfants pourront participer à sa confection en aidant à pétrir la pâte ou à former les éléments.

1. Décalquez sur le papier sulfurisé la forme de lapin figurant sur le patron, puis placez celle-ci sur la plaque du four.

2. Pour confectionner la pâte, mettez la farine dans un plat et faites un petit puits au centre. Émiettez-y la levure, ajoutez le lait et une pincée de sucre, puis pétrissez le tout. Couvrez ensuite le saladier avec un torchon propre et laissez la pâte reposer pendant environ 15 minutes.

3. Ajoutez le beurre, l'œuf, le reste de sucre et le sel dans le saladier et pétrissez le tout jusqu'à obtention d'une pâte homogène que vous couvrirez et laisserez reposer encore 20 minutes.

4. Pétrissez à nouveau la pâte et partagez-la en deux.

5. Sur la première moitié, prélevez environ deux tiers de pâte, avec lesquels vous formerez un ovale représentant le corps du lapin. Ajustez cet ovale à la forme du motif que vous avez décalqué. Avec le reste de la pâte, formez une boule pour la tête que vous placerez au sommet du corps. Lissez les points de contacts avec les doigts.

6. Sur la deuxième moitié, prélevez environ un tiers de pâte, puis partagez le morceau en deux et formez deux rouleaux qui constitueront les oreilles. Disposez-les de part et d'autre de la tête et pratiquez une fente longitudinale au centre.

7. Pour réaliser les bras et les jambes du lapin, partagez le reste de pâte en quatre morceaux égaux avec lesquels vous formerez quatre rouleaux de 8 cm de long. Placez deux d'entre eux sous le corps et lissez les points de contact. Vous obtiendrez ainsi les jambes. Pressez ensuite l'œuf cuit dur ou gobé sur l'ovale du corps, puis disposez les rouleaux allongés représentant les bras.

8. Les deux raisins secs représenteront les yeux et l'amande le nez.

9. Cassez le deuxième œuf dans la tasse et badigeonnez-en tout le corps du lapin. Laissez ensuite reposer environ 15 minutes dans un endroit frais.

10. Disposez enfin la plaque au milieu du four et faites cuire le lapin pendant 20 à 25 minutes à 200 °C.

COLLAGE SUR ŒUFS

à partir de 5 ans

- des chutes de papier cadeau
- des soucoupes
- un crayon
- des œufs gobés
- de la colle à papier peint
- des allumettes
- du fil

Voici une technique originale qui vous permettra de décorer des œufs de Pâques en recyclant de vieux papiers cadeau.

1. Commencez par trier les papiers cadeau en fonction de leur couleur. Prévoyez une soucoupe par couleur. Déchirez-les ensuite en petits morceaux que vous disposerez sur les différentes soucoupes.

2. Dessinez ensuite au crayon divers motifs sur un œuf.

3. Encollez chaque motif séparément et collez sur chacun d'entre eux des morceaux de papier de couleurs différentes. Vous saisirez les petits morceaux un à un avec les doigts et vous les appliquerez sur l'œuf.

4. Lorsque vous avez entièrement recouvert l'œuf, enduisez toute la surface de colle et aplatissez les

morceaux avec les doigts. Attention : n'oubliez pas de laisser libre l'un des orifices préalablement pratiqués pour vider l'œuf.

5. Pour suspendre l'œuf, coupez une allumette en deux. Nouez un fil à l'une des deux moitiés et introduisez le bâtonnet dans l'orifice laissé libre. Lorsque vous tirerez sur le fil, l'allumette se placera en travers à l'intérieur de l'œuf et ne pourra plus ressortir.

ŒUFS À LA CIRE MULTICOLORES

à partir de 4 ans

- *des œufs gobés*
- *des coquetiers*
- *5 crayons gras*
- *une bougie*
- *un bougeoir*
- *des allumettes*
- *du fil*
- *des ciseaux*

Même si vous employez des couleurs identiques, chaque œuf décoré de la sorte sera différent. Étant donné que ce bricolage requiert l'utilisation d'une bougie allumée, l'intervention d'un adulte est indispensable.

1. Disposez tous les accessoires dont vous aurez besoin sur la table. Prenez un œuf gobé propre et placez-le sur un coquetier.

2. Choisissez ensuite 5 longs crayons gras et disposez-les à côté du coquetier.

3. Placez la bougie sur un bougeoir afin d'éviter qu'elle ne tombe, puis allumez-la.

4. Vous pouvez à présent commencer à peindre. Saisissez le premier crayon et maintenez sa pointe au-dessus de la flamme jusqu'à ce que la cire devienne molle.

5. Appliquez ensuite la cire molle sur l'œuf. Vous pouvez dessiner à votre guise des points, des traits ou des cercles.

6. Lorsque vous avez consommé toute la cire molle, replacez la pointe du crayon au-dessus de la flamme. Attention, ne vous brûlez pas les doigts !

7. Vous décorerez ainsi progressivement la moitié de l'œuf qui dépasse du coquetier avec différentes couleurs de cire.

8. Retournez l'œuf. Inutile de craindre que les couleurs ne se mélangent, car elles refroidissent et sèchent instantanément.

9. Une fois l'œuf terminé, suspendez-le à un fil. Reportez-vous à cet effet aux indications figurant à la page 74.

NID DE PÂQUES
ET PAPILLONS

à partir de 4 ans

NID DE PÂQUES :
- des vieux journaux
- une soucoupe de pot
  de fleurs en terre cuite
- de la peinture acrylique
- des pinceaux
- un tablier
- de la mousse ou de l'herbe
  en papier

PAPILLONS :
- du bristol

- du papier calque
- un crayon
- des ciseaux
- du papier Ingres (10 x 10 cm)
- du papier de couleur
- de la colle
- une perforatrice
- une petite pièce de monnaie
- du fil de fer de fleuriste
- de la pâte à modeler

Utilisé comme décoration de table ou offert en cadeau, ce nid de Pâques décoré de papillons constitue une belle idée de bricolage auquel peuvent participer de nombreux enfants.

Nid de Pâques

1. Comme beaucoup de bricolages, ce nid requiert quelques préparatifs avant le début du travail. Recouvrez d'abord votre plan de travail de vieux journaux, puis placez sur ceux-ci la soucoupe en terre cuite, les peintures acryliques et les pinceaux. Pensez également à enfiler votre tablier.

2. Cherchez ensuite un motif à peindre sur le bord extérieur de la soucoupe, puis choisissez les couleurs. Vous pourrez par exemple dessiner une ligne brisée et ajouter des points multicolores dans les espaces libres. Une frise

de fleurs ou des petits poissons dans les vagues produiront également un effet magnifique.

3. Lorsque vous peindrez, pensez à prendre un pinceau par couleur, pour éviter de devoir rincer celui-ci entre chaque changement de couleur.

4. Lorsque votre motif est terminé, laissez-le sécher, puis décorez la soucoupe de mousse ou d'herbe en papier. En plus des œufs et des sucreries, vous pouvez également y déposer des papillons en papier qui ajouteront une touche d'originalité.

Papillons

1. Décalquez le demi-papillon de la page 205 sur du bristol, puis découpez-le. Vous obtiendrez ainsi votre modèle.

2. Pliez un carré de papier en deux et placez votre modèle sur celui-ci, côté rectiligne le long du pli.

3. Tracez-en le contour au crayon et découpez votre papillon.

4. Ouvrez le carré de papier, puis collez sur les ailes des points et des cœurs découpés dans du papier de couleur. Décalquez les cœurs à partir du modèle de la page 205. Pour les points, utilisez une perforatrice. Pour obtenir des points plus grands, tracez au crayon le contour d'une petite pièce de monnaie sur du papier.

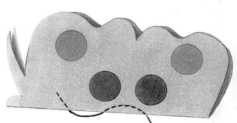

5. Réalisez un support en fil de fer vert pour pouvoir fixer les papillons dans le nid. Faites passer ce fil de fer en deux endroits au travers du pli central du papillon.

6. Pour fixer le papillon, collez une petite boule de pâte à modeler sur le fond de la soucoupe et plantez-y le fil de fer.

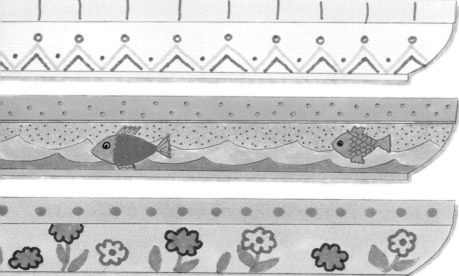

CORBEILLES EN FLEURS

à partir de 4 ans

- du bristol
- du papier calque
- un crayon
- des ciseaux
- une perforatrice
- du ruban cadeau
- de l'herbe en papier

Ce nid en forme de fleur n'est-il pas mignon ? Il a d'ailleurs tellement plu aux cloches qu'elles y ont déposé leurs œufs !

1. Décalquez la fleur du patron sur du bristol.

2. Découpez la forme ainsi obtenue.

3. Rabattez ensuite les pétales vers le haut en les pliant le long des pointillés. Ouvrez à nouveau les plis.

4. À l'aide de la perforatrice, percez des orifices au niveau des repères et enfilez-y le ruban.

5. Tendez légèrement le ruban pour que les pétales remontent vers le haut, de façon à obtenir la forme d'une corbeille. Formez ensuite une boucle avec les deux extrémités.

6. Décorez la corbeille avec de l'herbe en papier et des œufs multicolores. Vous pouvez éventuellement décorer la corbeille avec les papillons de la page 77.

CARTE DE PÂQUES : LAPIN DERRIÈRE UN BUISSON

à partir de 4 ans

- du bristol blanc (17 x 15 cm)
- du papier à dessin brun
- du papier calque
- un crayon
- des ciseaux
- du papier à dessin vert
- des chutes de papier à dessin jaune, rouge et bleu
- de la colle
- un feutre noir
- un feutre rouge

Voilà encore une belle surprise à réaliser pour Pâques : une carte contenant un motif qui se re- dresse dès qu'on l'ouvre. Ces cartes sont très simples à con- fectionner. Il suffit de suivre les indications présentées ci-des- sous.

1. Pliez le bristol blanc en deux dans le sens de la longueur.

2. Décalquez ensuite les contours du lapin de la page 206 sur le pa- pier à dessin brun, puis découpez- le.

3. Décalquez le buisson sur le pa- pier à dessin vert et découpez-le également.

4. Décalquez à présent les fleurs sur les chutes de papier à dessin de couleur et découpez-les. Pour réaliser la bandelette, découpez un rectangle de papier à dessin jaune de 7,5 x 2 cm.

5. Pliez le lapin le long de la ligne en pointillés, puis collez-le à l'inté- rieur de la carte, précisément au niveau du pli central.

6. Pliez également le buisson et collez-le sur l'autre moitié de l'in- térieur de la carte. Le buisson et le lapin se redresseront lorsque vous ouvrirez la carte.

7. Disposez les fleurs et la bande- lette sur le buisson et collez-les.

8. Dessinez le cœur des fleurs au feutre noir et inscrivez au feutre rouge « Joyeuses Pâques » ou un autre message sur la bandelette.

Bonne fête maman !

BIJOU EN ARGILE

à partir de 4 ans

- un carré de rideau
- de l'argile
- un rouleau à pâtisserie
- un couteau
- un crayon
- du carton rigide
- du vernis
- une lanière de cuir
- des clips d'oreille
- un pistolet à colle

Ce collier et ces boucles d'oreilles magnifiques auront l'air de sortir tout droit d'un magasin d'artisanat. Pourtant, leur réalisation est si simple que même les enfants les plus jeunes pourront s'y atteler.
Un conseil : Observez les vêtements de votre maman pour confectionner un collier assorti à un chemisier ou à un pull qu'elle aime porter.

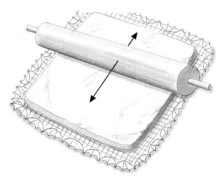

1. Placez le carré de rideau devant vous sur la table, déposez l'argile sur celui-ci et aplatissez-la en une mince couche à l'aide du rouleau à pâtisserie.

2. Retournez l'argile et ôtez avec précaution le carré de rideau. Vous constaterez que le motif de l'étoffe s'est imprimé dans la matière.

3. Pour réaliser les perles, découpez des triangles pointus dans l'argile.

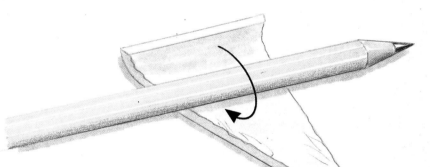

4. Enroulez ces triangles autour d'un crayon, côté imprimé orienté vers l'extérieur et lissez soigneusement les extrémités. Ôtez le crayon et faites sécher les perles sur un morceau de carton épais.

5. Pour obtenir un deuxième type de perle, prenez un petit rectangle d'argile, enroulez-le autour du crayon et joignez les deux extrémités. Vous obtiendrez ainsi une jolie variante.

6. Pour les boucles d'oreilles, découpez au couteau des formes rondes dans l'argile imprimée.

7. Lorsque vous avez réalisé les boucles d'oreilles et un nombre suffisant de perles, laissez-les sécher pendant une semaine, puis portez-les à cuire dans un magasin de bricolage.

8. Enduisez-les ensuite de vernis. Attention, les boucles d'oreilles doivent être vernies côté imprimé uniquement. Laissez les pièces sécher une journée, puis portez-les une nouvelle fois à cuire.

9. Enfilez à présent les perles sur un lacet de cuir dont vous nouerez les extrémités. Collez les disques d'argile des boucles d'oreilles sur les clips à l'aide du pistolet à colle.

Si vous le souhaitez, vous pouvez confectionner de la même manière des broches et des barrettes à cheveux. Vous trouverez les épingles et les fermoirs nécessaires dans des magasins d'activités manuelles.

ASSIETTES PEINTES

à partir de 4 ans

- du papier calque
- un crayon
- du carton fin
- des ciseaux
- des vieux journaux
- de la laque de différentes couleurs
- des pinceaux
- un tablier
- une assiette à dessert blanche
- du ruban adhésif double face
- des cure-dents

À l'occasion de la fête des mères, on offre souvent aux mamans des cœurs de toutes les couleurs possibles et imaginables : rouge, vert, bleu et jaune, avec de nombreuses nuances intermédiaires.

Pourquoi ne pas faire l'inverse et, au lieu de peindre les cœurs, colorier le bord de l'assiette ? La surface du cœur intacte fait ainsi ressortir le blanc de la porcelaine.

1. Décalquez le cœur de la page 205 sur le carton fin et découpez-le.

2. Recouvrez votre plan de travail de vieux journaux, préparez la peinture et les pinceaux et enfilez un tablier.

3. Prenez l'assiette blanche et collez le cœur en son centre avec du ruban adhésif double face.

4. Peignez l'assiette autour du cœur dans votre couleur préférée. Attention, la peinture ne doit pas s'infiltrer sous les bords du cœur en carton.

5. Lorsque la peinture est presque sèche, soulevez avec précaution le cœur à l'aide de cure-dents et ôtez-le de l'assiette. Veillez à ne pas toucher la peinture pendant cette opération.

6. Si vous le souhaitez, vous pouvez tacheter la surface peinte de petits points multicolores et décorer le bord du cœur d'autres petits points.

7. Laissez sécher l'assiette pendant plusieurs heures.

Conseil : Pour réaliser le patron, vous pouvez remplacer le carton par du film plastique qui empêchera à coup sûr la peinture de s'infiltrer sous le motif.

ANNEAU DE RIDEAU FLEURI

à partir de 10 ans

- du carton rigide
- du papier calque
- un crayon
- des ciseaux
- un morceau de tissu uni
- de la colle
- un anneau de rideau en bois (diamètre 7 cm)
- de la mousse de fleuriste
- une pince à épiler
- des fleurs séchées et des graminées
- un crochet pour tableau

Vous pourrez vous procurer les fleurs séchées et les graminées chez un fleuriste ou dans un magasin de bricolage. Mais il sera plus amusant de les récolter et de les faire sécher vous-même. Il vous suffira pour cela de suspendre les fleurs tête en bas pendant quelques semaines pour qu'elles perdent toute leur humidité.

1. Pour réaliser le fond de ce tableau, décalquez le cercle de la page 205 sur du carton rigide et découpez-le.

2. Collez un morceau d'étoffe unie sur le carton et découpez l'excédent de tissu.

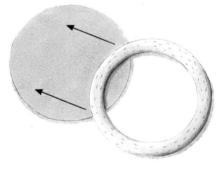

3. Encollez ensuite légèrement le pourtour du disque, puis collez l'anneau de rideau.

4. Il s'agit à présent de réaliser le motif floral. À cet effet, fixez un petit morceau de mousse en bas du cadre, puis enfoncez-y les fleurs et les graminées les unes après les autres à l'aide de la pince à épiler. Vous pourrez par exemple utiliser des fleurs d'hor-

tensia et des immortelles. Commencez par décorer le fond de graminées, puis disposez des

fleurs à l'avant. Finissez par quelques fleurs ou graminées débordant sur l'anneau de rideau.

5. Collez le crochet pour tableau au dos de l'anneau.

CANARD ET CYGNE

à partir de 6 ans

- du papier à dessin
- du papier calque
- un crayon
- des ciseaux
- des petites plaques de contreplaqué
- une pointe carrée
- un marteau
- une vrille
- une scie à chantourner
- du papier de verre à gros grains et à grains plus fins
- un petit bloc de bois
- de la colle à bois
- de la peinture acrylique
- des pinceaux

Les travaux réalisés à la scie à chantourner amuseront les garçons comme les filles.

Pour vous procurer les planches de contreplaqué, adressez-vous à une grande surface de bricolage qui, souvent, distribue gratuitement les chutes.

Canard

1. Sur du papier à dessin, décalquez le canard figurant sur le patron ainsi que le support correspondant et découpez les différents éléments.

2. Placez ensuite les deux formes sur le contreplaqué et tracez-en les contours au crayon. Dessinez le bec, les yeux et les ailes de part et d'autre de la figurine.

3. À l'aide de la pointe carrée, pratiquez un petit trou dans le contreplaqué à la base du contour. Pour pouvoir faire pénétrer la lame de la scie dans le trou, agrandissez légèrement celui-ci avec une vrille.

4. Tendez à présent la scie à chantourner et sciez lentement et prudemment le contour du canard. Répétez la même opération avec le support.

5. Poncez les bords des formes. À cet effet, employez du papier de verre que vous enroulerez autour d'un bloc de bois.

6. Collez les deux éléments ensemble avec de la colle à bois.

7. Laissez sécher la colle, puis peignez le canard à la peinture acrylique. Commencez par la peinture blanche dont vous passerez deux couches afin qu'elle

soit plus couvrante. Lorsque la peinture blanche est sèche, vous pouvez peindre le bec et les pattes en jaune. Couvrez ensuite le support de vert. Dessinez les yeux ainsi que les lignes du bec, des ailes et des pattes en noir.

Cygne

1. La réalisation du cygne est identique à celle du canard. Le cygne se compose également de deux éléments en contreplaqué, à décalquer à partir du patron.

2. Sciez ensuite les deux parties, poncez leurs contours et assemblez les éléments avec de la colle à bois.

3. Peignez le cygne à la peinture acrylique et terminez en dessinant en noir les ailes, le bec et les yeux.

BOÎTE À CŒUR
EN CARTON ONDULÉ

à partir de 6 ans

- 1 boîte de chocolats
- du carton ondulé
- un crayon
- des petits ciseaux pointus
- du papier calque
- du papier à dessin rouge
- de la colle

Les boîtes joliment décorées constituent un emballage de cadeau idéal. On peut les utiliser pour conserver des photos, des crayons ou des timbres.

1. Placez le couvercle de la boîte sur la face arrière du carton ondulé et dessinez son contour.

2. Ôtez le couvercle et découpez la forme obtenue.

3. Décalquez le cœur de la page 205 sur le carton ondulé et décou-

pez-le avec précaution à l'aide des petits ciseaux pointus.

4. La fenêtre en forme de cœur doit être obturée par du papier à dessin rouge. À cet effet, découpez un rectangle de papier à la taille du couvercle de la boîte. Encollez ensuite le dos du carton ondulé, puis pressez le papier à dessin sur celui-ci.

5. Collez à présent le carton ondulé à fond rouge sur le couvercle.

6. Pour terminer, collez le cœur en carton ondulé en le décalant un peu par rapport au cœur rouge.

BOÎTES EN GRANIT ODORANTES

à partir de 5 ans

- de vieux journaux
- un pinceau plat
- de la peinture à aspect granit
- une boîte en bois ou en aubier
- des feuilles séchées
- de la colle
- un pot-pourri fleuri

Les mères et les grands-mères sont toujours ravies de recevoir de jolies petites boîtes. Surtout lorsqu'elles dégagent un doux parfum de violette, de mélisse ou de fleur d'oranger.

Vous trouverez généralement les pots-pourris dans les boutiques de cadeaux. Ils sont disponibles en divers parfums.

1. Avant de commencer à peindre, recouvrez votre plan de travail de papier journal.

2. Appliquez généreusement la peinture à aspect granit au pinceau plat en peignant dans un seul sens, ici de gauche à droite.

3. Laissez sécher la peinture.

4. Appliquez une deuxième couche sur le couvercle en la croisant par rapport à la première, c'est-à-dire ici de bas en haut.

5. Placez la boîte dans un endroit aéré et laissez-la sécher.

6. Si vous le souhaitez, vous pouvez également enduire de peinture granit les parois extérieures de la boîte. Pour obtenir un résultat régulier, appliquez également deux couches de peinture croisées.

7. Vous pouvez décorer le couvercle de la boîte avec des feuilles séchées.

8. Pour terminer, remplissez votre boîte d'un pot-pourri fleuri au parfum enchanteur.

CARTES FLEURIES

à partir de 5 ans

- du papier cadeau à motif fleuri
- du bristol
- une règle
- un crayon
- des ciseaux
- du papier calque
- du carton rigide
- de la colle
- un stylo à bille à paillettes ou des crayons de couleur

« Dites-le avec des fleurs ! » Ces cartes vous permettront d'envoyer des messages amusants ou amicaux aux membres de votre famille.

1. Commencez par choisir un bristol dont la couleur est assortie à celle du motif fleuri.

2. Tracez un rectangle de 18 x 12 cm sur le bristol et découpez-le.

3. Pliez ce rectangle dans le sens de la longueur de façon à obtenir une carte.

4. Tracez un rectangle de 9 x 12 cm au dos du papier cadeau et découpez-le également.

5. Pliez le rectangle en deux dans le sens de la longueur de façon à ce que le motif soit situé à l'intérieur.

6. Décalquez ensuite le demi-ovale du patron sur un morceau de carton rigide et découpez-le. Vous obtiendrez ainsi le modèle pour l'avant de la carte.

7. Placez le patron le long du pli du papier cadeau, tracez-en le contour au crayon, puis découpez la forme obtenue.

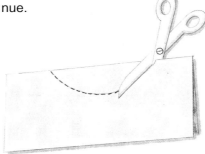

8. Avec la pointe des ciseaux, découpez des petites dents d'environ 1 cm dans l'ovale.

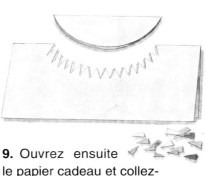

9. Ouvrez ensuite le papier cadeau et collez-le sur l'avant de la carte.

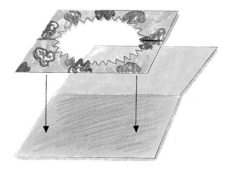

10. Dans l'ovale ainsi obtenu, inscrivez un message au stylo à bille irisé ou avec des crayons de différentes couleurs. Vous pouvez également y noter le nom d'un des membres de votre famille et rédiger à l'intérieur de la carte un message plus long. Si vous ne savez pas encore écrire, faites donc un petit dessin !

BOULES COLORÉES POUR POTS DE FLEURS

à partir de 4 ans

- des vieux journaux
- un tablier
- un goujon pour lanterne
- de la peinture acrylique
- des pinceaux
- des petites soucoupes
- une scie à chantourner
- des boules en plastique blanches
- une assiette plate

Ces boules pourront servir à décorer de multiples objets. Piquées sur une tige en bois et plantées dans un pot de fleur, elles donneront une nouvelle vie à une plante verte.

Vous pouvez également les employer pour enjoliver un bouquet dans un vase. Dans ce cas, veillez à ne pas les mouiller lors de l'arrosage, car la peinture utilisée résiste mal à l'eau.

1. Recouvrez le plan de travail de journaux. Enfilez un tablier, puis préparez les pinceaux et les petites soucoupes.

2. Sciez en deux le goujon pour lanterne à l'aide d'une scie à chantourner, puis enfoncez l'une de ses extrémités dans la boule.

3. Versez un peu de peinture de chaque couleur dans les différentes soucoupes.

4. Plongez l'un des pinceaux dans la première couleur et appliquez celle-ci en couche épaisse sur la boule. Tournez la boule et appliquez la deuxième couleur. Attention : prenez un pinceau différent pour chaque couleur pour éviter de devoir le rincer abondamment entre chaque application.

5. Vous colorerez ainsi progressivement l'ensemble de la boule. Le fait de tourner la boule mélangera les couleurs les unes dans les autres et vous obtiendrez ainsi un joli motif strié/fondu.

Variation

Vous pouvez obtenir un résultat similaire en tournant la boule directement dans les différentes couleurs.

1. Prenez une assiette plate et versez-y plusieurs couleurs.

2. Saisissez la boule par la baguette et tournez-la précautionneusement dans les différentes couleurs.

3. Pour finir, peignez au pinceau les endroits restés blancs.

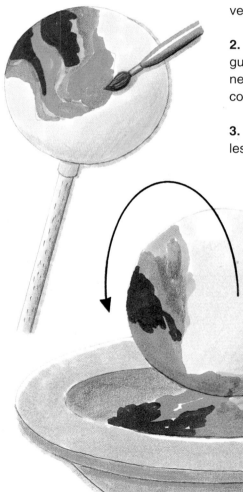

BOÎTE AVEC ROSACE EN PAPIER

à partir de 8 ans

- du papier cadeau
- une règle
- un crayon
- des ciseaux
- de la colle
- une boîte de crème de soins vide

Réaliser une magnifique rosace à partir d'un carré de papier en n'utilisant ni ciseaux ni colle : un art que peu de personnes maîtrisent. Si vous collez cette rosace en papier sur le couvercle d'une jolie boîte, vous obtiendrez un cadeau original pour la fête des mères. Vous pourrez également glisser une petite surprise dans la boîte.

1. Tracez un carré de 14,5 cm de côté au dos du papier cadeau et découpez-le.

2. Pliez le carré obtenu en quatre selon les lignes médianes en l'ouvrant après chaque pli.

3. Pliez-le à présent selon les diagonales et ouvrez-le également après chaque pli.

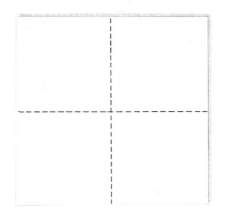

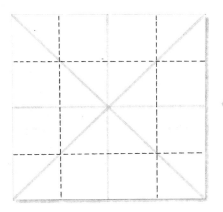

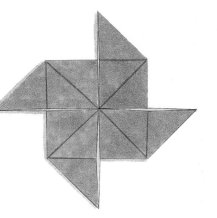

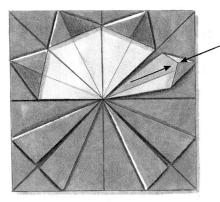

4. Repliez les quatre côtés sur les lignes médianes et ouvrez à nouveau la figure.

7. Rabattez dans le sens inverse des aiguilles d'une montre les coins pointant vers le haut.

de l'arête supérieure. Répétez l'opération avec les 7 autres ailes.

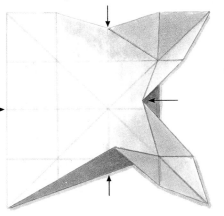

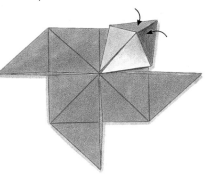

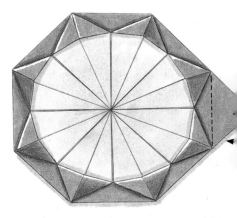

5. Saisissez le papier par 2 coins et poussez sur les arêtes : les coins se relèveront. Répétez cette opération avec les deux autres coins.

8. Redressez l'une des ailes, ouvrez-la avec l'index et pressez la pointe vers le bas de façon à obtenir un petit carré. Répétez cette opération avec les 3 autres ailes.

11. Rabattez ensuite les 4 coins du carré vers l'arrière. Vous obtiendrez ainsi votre rosette octogonale.

12. Décalquez enfin le contour de la fleur sur une chute de papier cadeau, découpez-la et collez-la au centre de la forme obtenue.

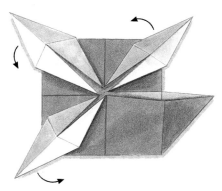

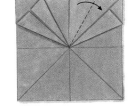

9. Rabattez sur sa ligne médiane les deux côtés intérieurs de chaque carré. Vous obtenez ainsi 8 ailes triangulaires.

13. Pour terminer, collez la rosette sur le couvercle d'une boîte de crème vide.

Modèle à décalquer

6. Rabattez les 4 arêtes vers l'intérieur sur le point central.

10. Ouvrez la première aile et pressez-la vers le bas au niveau

Fête d'anniversaire

CYGNE EN DENTELLE DE PAPIER

à partir de 8 ans

- du papier à dessin vert
- un compas
- des ciseaux
- 2 napperons en papier blanc (diamètre 16 cm)
- de la colle
- des cure-pipes blancs (16 cm de long)
- une paille en plastique rouge
- un feutre noir

Ce cygne en dentelle de papier sera du plus bel effet sur la table d'anniversaire. Faites-le « nager » au milieu de la table sur une serviette en papier bleu. Si le cœur vous en dit, vous pouvez confectionner autant de cygnes que d'invités et les placer au centre de chaque assiette à dessert.

Feuille de nénuphar

1. Tracez un cercle de 9 cm de diamètre sur le papier à dessin vert et découpez-le.

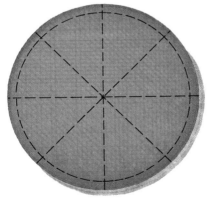

2. Pliez trois fois de suite le disque en deux, de façon à obtenir un huitième de cercle.

3. Ouvrez le cercle entièrement et redressez une bande d'environ 3 mm sur le pourtour de celui-ci. Votre papier a à présent la forme d'une feuille de nénuphar. Pour que l'illusion soit plus grande, entaillez l'un des plis jusqu'au centre.

Cygne

1. Pour réaliser le plumage, prenez 2 napperons en papier et pliez l'un d'entre eux en deux.

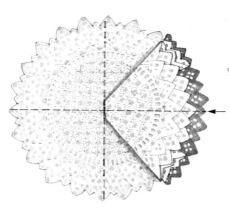

2. Saisissez le centre du demi-cercle obtenu entre le pouce et l'index et rabattez la partie droite sur le centre.

3. Répétez l'opération avec la partie gauche de la figure.

4. Pliez le deuxième napperon à deux reprises pour obtenir un quart de cercle, puis rouvrez le papier.

5. Collez à présent le premier napperon sur la moitié droite du napperon ouvert.

6. Rabattez ensuite la moitié gauche du disque de papier sur la première forme pliée et vous obtiendrez le plumage du cygne.

7. Pliez celui-ci en deux et collez-le sur la feuille de nénuphar au niveau de la ligne de pli.

8. Pour réaliser le cou du cygne, pliez en S un morceau de cure-pipe de 16 cm de long.

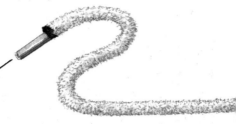

9. Découpez ensuite un morceau de 1,3 cm dans la paille rouge et enfoncez-y l'extrémité du cure-pipe pour former le bec.

10. Coloriez le pourtour du cure-pipe à proximité de la paille au feutre noir.

11. Collez l'extrémité du corps en cure-pipe sur la ligne de pli du plumage.

12. Pour que les ailes restent bien dressées, fixez-les à l'intérieur par un point de colle.

SOURIS EN PERLES

à partir de 6 ans

- *des chutes de feutrine de différentes couleurs*
- *du papier calque*
- *un crayon*
- *des ciseaux*
- *un disque de bois (diamètre 4 cm)*
- *de la colle à bois*
- *une petite perle (diamètre 10 mm)*
- *une grosse perle (diamètre 12 mm)*

Des petits disques de bois, des perles et quelques chutes de feutrine, voilà tout ce qu'il faut pour réaliser ces amusantes petites souris. Comme prix d'une tombola ou d'un jeu d'adresse, elles raviront vos invités qui pourront les emporter en souvenir à la maison.

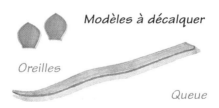

Modèles à décalquer

Oreilles

Queue

1. Découpez d'abord la queue dans une chute de feutrine. À cet effet, décalquez le modèle figurant ci-dessus sur la feutrine et découpez la forme obtenue.

2. Décalquez également les oreilles sur un morceau de feutrine et découpez-les.

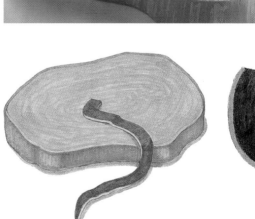

3. Collez l'extrémité plate de la queue au centre du disque de bois.

4. Fixez les oreilles sur la petite perle de bois avec un peu de colle à bois. Vous obtenez ainsi la tête.

5. Collez à présent la petite perle sur la grande en veillant à aligner leurs orifices.

6. Collez le corps de la souris sur le disque de bois.

CARTON DE TABLE : ARBRE EN FLEUR

à partir de 5 ans

- du papier calque
- un crayon
- du papier à dessin de différentes couleurs
- des ciseaux
- un feutre
- de la colle
- des fleurs séchées

Les cartons de table ne servent pas uniquement à indiquer leur place aux invités, mais constituent aussi une manière de les accueillir. Vous pouvez exploiter le thème des arbres en fleurs pour la décoration de votre table et disséminer d'autres petites fleurs autour de la place de l'enfant qui fête son anniversaire.

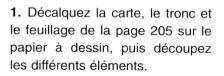

1. Décalquez la carte, le tronc et le feuillage de la page 205 sur le papier à dessin, puis découpez les différents éléments.

2. Pliez la carte le long des pointillés.

3. Dessinez ensuite au feutre noir un nid contenant un petit oiseau sur le feuillage et collez ce dernier avec le tronc à l'avant de la carte.

4. Inscrivez le nom de l'invité sur la carte, à droite du tronc.

5. Pour terminer, collez les fleurs séchées sur le feuillage.

Si votre anniversaire a lieu en automne, remplacez les fleurs par des petites feuilles séchées et choisissez pour la carte un papier à dessin dans des tons chauds de rouge ou de brun.

BOÎTE HÉRISSON

à partir de 4 ans

- un carré de papier à dessin brun (20 cm de côté)
- un feutre noir
- un crayon
- un cutter
- de la colle
- des chutes de papier à dessin brun
- du papier calque
- des ciseaux

Lorsque la nature d'un cadeau peut facilement se deviner à sa forme, il est préférable de choisir un emballage rigide. Cette boîte en forme de hérisson cachera joliment son contenu et constituera un petit présent supplémentaire, dans lequel l'enfant qui fête son anniversaire pourra ranger ses crayons, ses gommes, etc.

1. Pliez le carré en deux suivant la diagonale, puis ouvrez-le.

2. Rabattez les côtés supérieurs gauche et droit sur la diagonale de façon à obtenir la forme d'un cerf-volant.

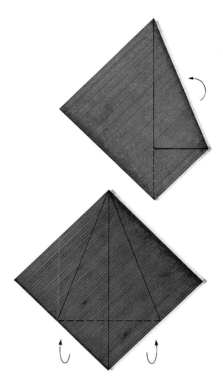

3. Ouvrez à nouveau la figure, puis rabattez vers le haut le coin inférieur sur la ligne en pointillés.

4. Faites un essai de pliage du hérisson en repliant par-dessous les parties latérales. Dessinez les yeux au feutre noir.

5. Ouvrez le carré et dessinez au crayon des petites pointes pour représenter les piquants.

Comme indiqué sur le dessin, dessinez des piquants uniquement sur la partie centrale de l'animal et laissez intacts les trois côtés extérieurs et la tête.

6. Incisez les pointes à l'aide d'un cutter et redressez-les.

7. Encollez ensuite l'un des bords latéraux du hérisson et pressez-le sur l'autre. Maintenez les éléments ensemble jusqu'à ce que la colle prenne. Vous obtenez ainsi la forme de base de votre boîte hérisson.

8. Rentrez le dernier rabat dans la boîte.

9. Pour confectionner les oreilles, décalquez deux fois le modèle ci-contre sur la chute de papier à dessin et découpez les formes obtenues.

Modèle à décalquer

10. Formez un arrondi avec les oreilles et collez-les sur la tête du hérisson.

11. Dessinez le museau au feutre noir et recourbez-le légèrement.

PORTE-CLÉS EN CAOUTCHOUC MOUSSE

à partir de 6 ans

HIPPOPOTAME :
- du caoutchouc mousse de différentes teintes
- du papier calque
- un crayon
- des ciseaux
- de la peinture nacrée
- un emporte-pièce ou une grosse aiguille
- une lanière de cuir

PORTE-CLÉS EN PERLES :
- des perles de bois de différentes couleurs
- du caoutchouc mousse de différentes teintes
- un lacet de cuir
- une règle
- des ciseaux
- du papier calque
- un crayon
- une aiguille à repriser
- un anneau de porte-clés

Avant une fête d'anniversaire, amusez-vous à confectionner une multitude de jolis objets qui serviront de prix pour les jeux d'adres-

Modèles à décalquer

se ou de mémoire. Et si l'enjeu est un porte-clés en hippopotame ou en perles, vos invités se dépenseront sans compter pour le remporter !

Porte-clés hippopotame

1. Commencez par décalquer la forme d'hippopotame ci-dessous sur du caoutchouc mousse et découpez-la.

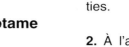

2. Tracez ensuite les différentes lignes à la peinture nacrée. Peignez ainsi le visage, les oreilles et les plis, puis représentez les ongles par des petits traits.

3. Percez à présent un orifice à l'endroit indiqué sur le dos de l'hippopotame. Utilisez à cet effet un emporte-pièce ou une grosse aiguille à repriser.

4. Passez-y un lacet de cuir d'environ 12 cm de long, dont vous nouerez les extrémités.

Porte-clés en perles

1. Pour chaque porte-clés, choisissez des perles, des morceaux de caoutchouc mousse et des lanières de cuir aux teintes assorties.

2. À l'aide de la règle, dessinez plusieurs longues bandes de 6 mm de large et découpez-les.

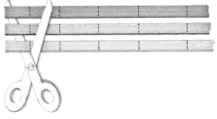

3. Découpez les bandes en morceaux de plus en plus longs. Les plus petits mesureront environ 1,5 cm et les plus longs environ 2,8 cm.

4. Vous pouvez aussi découper des cercles et des triangles que vous aurez décalqués sur du caoutchouc mousse à partir des modèles ci-dessous.

5. Avec l'aiguille à repriser, enfilez en alternance des morceaux de caoutchouc mousse et des perles sur une lanière de cuir de ± 12 cm de long. Nouez enfin un anneau à l'extrémité supérieure de la lanière.

FIGURINES SUR PAILLES

à partir de 5 ans

- du papier à dessin
  de différentes couleurs
- du papier calque
- un crayon
- des ciseaux
- des pailles coudées
- une agrafeuse
- des feutres
- de la colle
- des cure-pipes

Apportez de la vie à votre table d'anniversaire avec ces amusants bonshommes surgissant des verres sur des pailles. Vous pouvez également y inscrire le nom des différents invités pour éviter que ceux-ci ne confondent leurs verres.

1. Décalquez deux fois les modèles de tête, de chapeau et de chemise figurant à la page 207 sur du papier à dessin, puis découpez tous les éléments.

2. Appliquez les deux cercles composant la tête sur l'extrémité

supérieure de la paille et agrafez les trois éléments ensemble. Veillez à ce que l'agrafe soit située au niveau du nez.

3. Avec des feutres, dessinez le visage du personnage.

4. Collez à présent les deux éléments du chapeau à l'avant et à l'arrière de la tête en les superposant parfaitement.

5. Il ne manque plus que le corps du personnage. Encollez le bord supérieur de l'un des éléments de la chemise et appliquez-y un morceau de cure-pipe de 16 cm de longueur pour obtenir des bras.

6. Pour réaliser les jambes, enduisez de colle le bord inférieur de la chemise et placez-y un morceau de cure-pipe de 16 cm de long que vous aurez plié en U. Pour les mains et les pieds, coudez légèrement les extrémités des cure-pipes.

7. Placez la paille sur la ligne médiane verticale de la chemise ainsi préparée. Recouvrez celle-ci avec la deuxième partie et agrafez les deux éléments en deux endroits le long de la paille.

LÉZARD
D'ANNIVERSAIRE

à partir de 5 ans

- des vieux journaux
- du carton épais
- du papier calque
- un crayon
- des ciseaux
- 2 petites perles noires en bois (diamètre environ 5 mm)
- une aiguille
- du fil noir
- des bonbons
- de la colle
- de la poudre scintillante

Généralement, on représente l'âge de l'enfant qui fête son anniversaire par un certain nombre de bougies. Mais pourquoi ne pas opter pour une présentation origi-

nale, avec des bonbons posés sur le dos d'un lézard ? En outre, les bonbons présentent un avantage non négligeable sur les bougies, car ils peuvent se manger !

1. Recouvrez votre plan de travail de vieux journaux.

2. Décalquez le lézard de la page 207 sur le carton, puis découpez la forme obtenue.

3. Cousez les 2 perles en bois représentant les yeux avec du fil et une aiguille et nouez les extrémités du fil au verso de la figure.

4. Disposez sur le dos du lézard le nombre de bonbons correspondant à l'âge de l'enfant et collez-les.

5. Enduisez ensuite les pattes du lézard d'un peu de colle et saupoudrez ces endroits de poudre scintillante, puis éliminez la poudre en excès.

COCCINELLE MOBILE

à partir de 5 ans

- du bristol rouge
- du papier calque
- un crayon
- des ciseaux
- du bristol noir
- un emporte-pièce
- de la gouache noire
- un pinceau
- des attaches parisiennes à tête ronde
- une petite pince plate

Lorsque vous tirez cette coccinelle sur le tapis, ses petites pattes commencent à bouger et donnent l'impression qu'elle marche sur le sol. Le secret : trois roues fixées au dos de l'animal par des attaches parisiennes, qui se mettent en mouvement lorsque l'animal est déplacé sur une surface rugueuse.

1. Décalquez la coccinelle du patron sur le bristol rouge et découpez-la.

2. Décalquez ensuite trois fois le modèle de roue ci-dessous sur du bristol noir et découpez les formes obtenues.

3. À l'aide de l'emporte-pièce, percez les trois orifices pour les roues le long du bord inférieur de la coc

cinelle. Percez également deux trous dans la partie supérieure.

4. Percez à présent un orifice au centre de chacune des roues.

5. Peignez la tête et les antennes de la coccinelle avec de la gouache noire.

6. Il ne vous reste plus qu'à assembler l'animal : à cet

effet, introduisez une attache parisienne par l'avant au travers de l'un des orifices pratiqués dans le bord inférieur du corps et introduisez-y l'une des roues par l'arrière. À l'aide de la pince, rabattez les pattes de l'attache parisienne et recourbez-les légèrement pour qu'elles n'entravent pas le mouvement de la roue.

7. Fixez les deux autres roues de la même manière.

8. Placez deux autres attaches parisiennes sur le dos de la coccinelle. Leurs têtes rondes décoreront l'animal. À l'aide de la pince, recourbez également les extrémités vers l'extérieur.

Modèles à décalquer

Coccinelle

Roue

JEU DE DÉ :
CLOWN RIGOLO

à partir de 5 ans

- du papier à dessin de différentes couleurs
- du papier calque
- un crayon
- des ciseaux
- 1 feuille de bristol (DIN A3)
- de la colle
- un feutre noir
- un bouchon
- de la gouache noire
- un pinceau
- du film plastique transparent autocollant
- des bonbons type M & M's ou des jetons
- un dé

Pas de fête d'anniversaire réussie sans un nouveau jeu auquel tous les enfants pourront participer. À n'en pas douter, les enfants

ne connaîtront pas ce « jeu de clown » dans lequel il s'agit d'avoir un peu de chance avec le dé pour marquer des points.

1. Commencez par décalquer sur du papier de couleur les 12 éléments du clown figurant sur le patron et découpez-les. Découpez les mains, les pieds, les bras et les jambes en double.

2. Assemblez ensuite les différents éléments du clown sur la grande feuille de bristol. Dès que la disposition vous convient, collez les différentes parties les unes après les autres.

3. Tracez un trait au feutre noir sur la bouche de façon à donner un sourire à votre clown.

4. Imprimez à présent différents points sur votre personnage. À cet effet, appliquez de la peinture noire sur l'un des côtés du bouchon, puis pressez-le sur le clown. Rajoutez de la peinture sur le bouchon entre chaque point. À l'instar des points du dé, les points de

notre jeu sont répartis de 1 à 6 sur tout le corps du clown.

5. Commencez par imprimer le bonnet en réalisant le premier point au bout de celui-ci.

6. Continuez par les jambes sur lesquelles vous imprimerez deux disques noirs au niveau des genoux.

7. Poursuivez par le « trois » qui représentera le nez et les yeux.

8. À présent, les « quatre » : imprimez-les en forme de croissant dans les deux pieds.

9. Pour les « cinq », placez un point sur chaque doigt.

10. Le ventre offre une surface plus grande et accueillera le « six ».

1. Placez un bonbon sur chaque point. Le premier joueur lance le dé et prend l'un des bonbons figurant sur un nombre correspondant au chiffre obtenu. Dès qu'il parvient sur une partie du corps où tous les bonbons ont déjà été pris, la main passe au joueur suivant. Le vainqueur est celui qui possède le plus grand nombre de bonbons.

2. Vous pouvez remplacer les bonbons par des jetons, des boutons ou des perles. Ce qui s'avérera particulièrement utile si vous compliquez le jeu : les joueurs lanceront le dé jusqu'à ce que tous les jetons aient été remportés, puis ils tenteront de replacer ceux-ci sur le clown. La deuxième partie du jeu sera passionnante, car vous constaterez qu'il ne sera pas si facile de vous débarrasser des jetons.

orientée vers le haut. Pour certains types de films, vous devrez au préalable ôter la pellicule protectrice.

12. Pressez à présent la feuille de bristol sur le film en orientant le motif vers le bas. Les bords du film doivent dépasser d'environ 4 cm de chaque côté.

13. Éliminez les coins, comme indiqué sur le dessin, puis rabattez les bords sur le carton. Retournez le jeu et passez la main sur le film pour l'égaliser.

11. Pour terminer, recouvrez le jeu d'un film plastique transparent. À cet effet, étendez le film transparent face autocollante

CARTES D'INVITATION : PAPILLONS ET COCCINELLES

à partir de 5 ans

- du papier calque
- un crayon
- du bristol de différentes couleurs
- des ciseaux
- un feutre noir
- des crayons de couleur

Les papillons et les coccinelles sont d'agréables messagers que vous pouvez envoyer chez vos amis pour les inviter à votre prochaine fête.

Ces cartes peuvent être rapidement et facilement réalisées. Si le cœur vous en dit, vous pourrez dessiner un motif différent sur les ailes de chaque papillon.

1. Décalquez la carte du patron sur le bristol.

2. Découpez la forme obtenue et pliez-la le long des lignes en pointillés.

3. Pour décorer la carte, commencez par dessiner une moitié de corps sur chaque petit côté de la carte, puis dessinez les antennes au sommet de la tête.

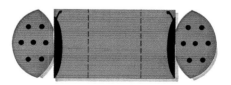

4. Suivant que la carte représente un papillon ou une coccinelle, dessinez des points noirs ou des motifs colorés sur les ailes. Attention : dessinez d'abord une aile, puis décorez l'autre de façon symétrique. Ce conseil vaut également pour les points de la coccinelle, car dans la nature, ils sont

aussi disposés de façon symétrique.

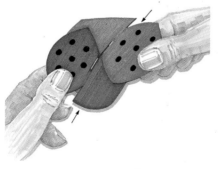

5. Inscrivez le message de votre invitation à l'intérieur de la carte et introduisez les ailes dans les deux fentes.

Conseil : n'oubliez pas de noter votre nom et votre adresse sur la carte elle-même, afin que le destinataire sache de qui elle provient s'il a déjà jeté l'enveloppe.

DÉCORATION
DE TABLE :
MAISON EN SERVIETTE

à partir de 4 ans

- une grande serviette
  de couleur (32 x 32 cm)
- une petite serviette blanche
  (26 x 26 cm)
- un gros livre
- du caoutchouc mousse
  de différentes couleurs
- du papier calque
- un crayon
- de ciseaux
- de la colle
- un feutre noir
- des feutres de couleur

Les bricolages ne doivent pas né-cessairement être coûteux. En effet, avec des objets simples comme ces jolies décorations de table réalisées à partir de ser-viettes et d'éléments de caout-chouc mousse, vous vous amuse-rez et procurerez beaucoup de plaisir à vos amis. Suivant l'occa-sion, vous pouvez orner la maison en serviette de petites bougies, de cœurs de couleur ou d'œufs déco-rés.

1. Pliez la serviette de couleur en deux, puis aplatissez le pli avec l'ongle du pouce et ouvrez-le.

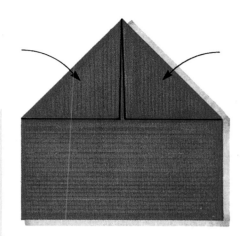

2. Rabattez les deux coins supé-rieurs sur la ligne médiane de ma-nière à obtenir la forme d'un toit.

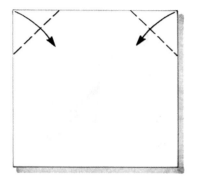

3. Rabattez vers l'intérieur les coins supérieurs de la serviette blanche sur un quart de la lon-gueur et introduisez celle-ci sous

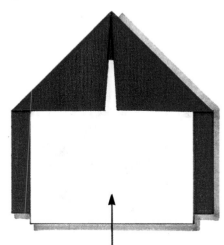

le « toit » de la serviette de cou-leur. Les bords inférieurs des deux serviettes se superposent exacte-ment.

4. Placez la maison en serviette pendant quelques heures sous un gros livre afin d'aplatir les plis.

5. Pendant ce temps, réalisez les éléments de décoration qui vien-dront orner la maison.

6. Décalquez à cet effet les mo-dèles de la page 206 sur le caout-chouc mousse.

7. Pour un anniversaire d'enfant, découpez des bougies. Collez les petites flammes au sommet de la bougie et dessinez la mèche au feutre noir. Ces maisonnettes constitueront également une ma-gnifique décoration pour une table de Noël.

8. Pour la fête des mères, optez pour les 3 cœurs de différentes tailles et collez-les en les super-posant.

9. Pour Pâques, vous choisirez naturellement les œufs que vous décorerez avec des feutres de dif-férentes teintes.

10. Placez les maisons en ser-viettes sur les assiettes de façon à ce que le « toit » et le « mur blanc » soient toujours visibles et décorez-les avec les éléments en caoutchouc mousse.

Petits cadeaux
pour
bons amis

POUPÉE DE CHIFFON

à partir de 7 ans

- un morceau de tissu (10 x 26 cm)
- une règle
- un crayon ou une craie de tailleur
- des ciseaux
- une aiguille
- du fil à coudre
- un morceau de tissu (10 x 23 cm)
- du tissu tricoté
- une pièce de monnaie
- un peu de riz
- de la ouate de bricolage
- un bas de soie
- du fil à broder bleu et rose
- des chutes de peau de mouton
- de la colle
- de la dentelle blanche

Même si vous n'avez pas l'habitude de manier le fil et l'aiguille, vous pourrez coudre cette jolie poupée, car elle est plus simple à confectionner qu'il n'y paraît. Il vous faudra simplement faire preuve d'un peu de patience.

Corps

1. Pour réaliser les jambes, tracez un rectangle de 10 x 26 cm sur un morceau de tissu et découpez-le.

2. Pliez le rectangle en deux dans le sens de la longueur, superposez les bords et cousez-les de façon à obtenir un tube.

3. Faufilez le pourtour des deux orifices, puis retournez les jambes.

4. Sur le deuxième morceau de tissu, tracez un rectangle de 10 x 23 cm pour les bras et découpez-le.

5. Cousez également ce rectangle en tube, faufilez le pourtour des deux orifices et retournez les bras.

6. Au centre du rouleau des bras, pratiquez une entaille en forme de V pour la tête.

7. Pour réaliser les mains et les pieds de la poupée, découpez 4 carrés de 8 cm dans le tissu tricoté.

8. Au centre du premier carré d'étoffe, dessinez un cercle dont vous faufilerez le pourtour.

9. Placez une poignée de riz au centre du cercle, fermez votre petit sac en tirant sur les extrémités du fil. Enroulez celles-ci deux fois autour de la fermeture du sac, puis nouez-les. Répétez la même

opération avec les trois autres carrés de tissu tricoté.

10. Introduisez l'un des petits sacs dans l'un des orifices des jambes et tirez sur le fil passé à cet effet.

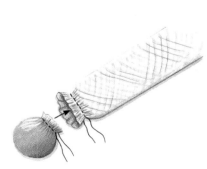

11. Remplissez les jambes de ouate de bricolage, puis introduisez le deuxième petit sac à l'autre extrémité.

12. Fixez de la même manière les petits sacs représentant les mains et remplissez également les bras de ouate de bricolage.

Tête

1. Formez une boule d'environ 5 cm de diamètre à partir d'ouate de bricolage et enfilez le bas de soie au-dessus de celle-ci. Nouez le bas juste en dessous de la tête et découpez-le à environ 1 cm sous le nœud.

2. Enfilez ensuite par-dessus un morceau de tissu tricoté de 12 x 12 cm, nouez celui-ci sous la boule et découpez-le à 3 cm environ en dessous du nœud.

3. Cousez 2 yeux avec le fil à broder bleu, puis une bouche avec le fil rose.

4. Pour les cheveux, tracez un cercle d'un diamètre de 6 cm au

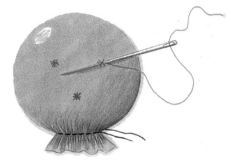

dos de la chute de peau, puis découpez-le.

Comme indiqué sur le dessin, découpez de petits triangles. Encollez l'arrière de la chute de peau et pressez-la sur la tête.

2. Nouez un fil au centre du tube des jambes, pliez les jambes vers le bas et cousez-les directement sous le pli par deux ou trois points.

3. Cousez ensuite la partie supérieure au centre de la partie des jambes.

4. Pour terminer, cousez des collerettes en dentelle sur la poupée. Pour le cou, passez un fil dans un morceau de dentelle de 10 cm de long. Placez ensuite la dentelle autour du cou et tirez sur les deux extrémités du fil. Nouez celles-ci et cousez-les.

5. Pour les bras et les jambes, il faut 4 morceaux de dentelle de 5 cm de long. Vous les fixerez autour des mains et des pieds de la poupée.

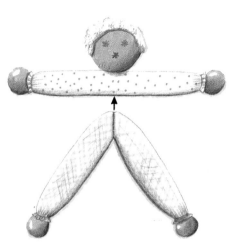

Coudre les différents éléments

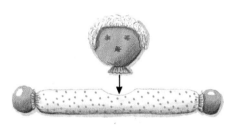

1. Introduisez la tête dans l'entaille pratiquée au centre du tube des bras et cousez-la.

Cette poupée constituera un magnifique cadeau pour les grands et les petits.

COQUILLAGES AUX PIERRES MAGIQUES

à partir de 4 ans

- des coquillages troués
- du spray scintillant
- des pierres de couleur
  ou des billes
- de la colle à prise instantanée
- de la cordelette dorée
  ou argentée

En offrant ces pendentifs en coquillages abritant une pierre scintillante ou une jolie bille, vous
serez certain de faire plaisir.
Suspendus à une cordelette
dorée ou argentée, ils pourront
être portés comme porte-bonheur
autour du cou. Mais vous pouvez
aussi vous offrir vous-même une
jolie pierre magique !

1. Commencez par rincer abondamment les coquillages à l'eau
claire, puis séchez-les.

2. Cherchez ensuite deux moitiés
de coquillage de teinte et de taille
identiques.

3. Si vous le souhaitez, vaporisez
l'extérieur des deux moitiés avec
du spray scintillant.

4. Choisissez à présent une jolie
pierre de couleur. Fixez-la avec de
la colle à prise instantanée dans
une moitié de coquillage ayant
une taille appropriée. Attention :
la pierre ne doit pas obstruer le
trou prévu pour suspendre le
coquillage.

5. Enfilez à présent les deux
demi-coquillages sur une longueur
de cordelette dorée ou argentée,
de façon à ce que les deux moitiés
constituent un coquillage fermé.

6. Placez le coquillage au milieu
de la cordelette et fixez-le par un

nœud lâche. Attention : vous
devez pouvoir ouvrir le coquillage
pour admirer son contenu.

7. Nouez les extrémités de la cordelette. Il ne vous reste plus qu'à
porter autour du cou ce bijou
porte-bonheur.

BOÎTE HIBOU

à partir de 7 ans

- du bristol
- du papier calque
- un crayon
- des petits ciseaux pointus
- un cutter
- du carton rigide
- un feutre noir
- un petit couteau de cuisine
- de la colle

Emballé dans cette boîte hibou, le plus humble des cadeaux deviendra somptueux. Cet emballage original est tellement magnifique qu'il trouvera ensuite sa place sur l'appui de fenêtre ou sur l'étagère à jouets.

1. Décalquez le hibou et la boîte du patron sur du bristol et découpez les deux éléments.

2. À l'aide de petits ciseaux pointus, pratiquez des incisions partant du centre vers le pourtour des yeux du hibou.

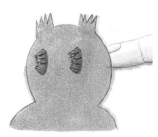

3. Avec l'index, poussez les lamelles vers l'extérieur de façon à ce que les yeux ressortent légèrement.

4. Posez votre hibou à plat sur un support en carton épais et incisez à l'aide d'un cutter le bec et les plumes, puis redressez ces petits triangles.

5. Dessinez les serres au feutre noir.

6. Pour confectionner la boîte, repassez les lignes en pointillés avec le dos d'un petit couteau de cuisine.

7. Pliez ensuite la boîte selon les lignes obtenues.

8. Fixez-la en encollant la languette. Attention : celle-ci doit être repliée à l'intérieur du volatile.

9. Rabattez les parties arrondies les unes sur les autres. De la sorte, vous n'aurez pas besoin de les coller.

10. Collez enfin la boîte au dos du hibou et placez votre cadeau à l'intérieur.

SAC D'ÉCOLE CERF-VOLANT

à partir de 5 ans

- 2 feuilles de papier à dessin rouge
- des ciseaux
- de la colle
- des chutes de papier à dessin de différentes couleurs
- du papier calque
- un crayon
- du papier blanc pour machine à écrire
- un feutre noir
- de la laine
- des chutes de papier crépon de différentes couleurs
- du papier crépon orange (150 cm de long)
- du ruban cadeau

Ce cerf-volant en papier à dessin rouge vous accompagnera gaiement lors d'un premier jour de classe. Son ventre permet de cacher quelques surprises ainsi que tous les objets dont un petit écolier a besoin.

1. Commencez par découper 2 carrés dans le papier à dessin. À cet effet, rabattez la largeur de la première feuille en diagonale sur la longueur et découpez la bande de papier en excès. Procédez de même pour la deuxième feuille.

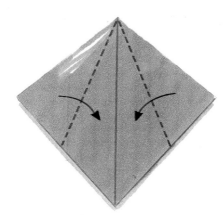

2. Pour chaque feuille, ouvrez les plis, puis rabattez les deux côtés supérieurs du carré sur la ligne médiane verticale. Vous obtiendrez ainsi 2 pliages en forme de cerf-volant.

3. Collez à présent les ailes du premier cerf-volant sur le deuxième cerf-volant ouvert, de façon à ce que les pointes supérieures et inférieures des deux éléments se superposent exactement.

4. Rabattez les ailes ouvertes du deuxième cerf-volant sur le premier et collez-les. Vous obtenez une grande pochette que vous pouvez à présent décorer.

5. Pour réaliser le visage, décalquez la bouche et le nez de la page 207 sur le papier à dessin de couleur et découpez ces éléments.

6. Décalquez l'œil deux fois sur du papier blanc pour machine à écrire et dessinez les pupilles au feutre noir.

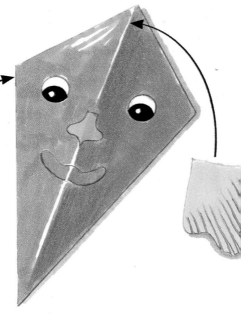

7. Décalquez les cheveux sur du papier de couleur, découpez-les puis effrangez-les.

8. Collez les 5 éléments du visage sur la partie avant du sac.

9. Pour réaliser les oreilles, prenez deux brins de laine de 15 cm de long et nouez-y deux morceaux de papier crépon. Collez les brins de laine de chaque côté de la tête.

10. Collez ensuite la bande de papier crépon orange dans l'ouverture du sac.

11. Dès que la colle est sèche, nouez le papier crépon en haut avec le ruban.

12. Pour confectionner la queue, nouez 7 à 10 morceaux de papier crépon de couleurs différentes sur un brin de laine d'environ 30 cm de long, puis collez celui-ci sous la pointe du sac.

PIED MOULÉ

à partir de 4 ans

- des vieux journaux
- une cuvette et une soucoupe remplies d'eau
- une serviette de toilette
- une bande de plâtre
- des ciseaux
- une chaise
- un tabouret
- de la peinture acrylique
- des pinceaux
- un feutre

« Il vit sur un grand pied » pourrait-on se dire en observant ces moulages en plâtre. La réalisation de ces modèles de pieds déclenchera des fous rires lors d'une fête d'enfants. Nous vous conseillons toutefois de protéger le sol avec des vieux journaux ou d'organiser cette activité à l'extérieur.

1. Recouvrez le sol de vieux journaux, préparez une petite cuvette et une soucoupe remplie d'eau ainsi qu'une serviette de bain.

2. Découpez ensuite la bande de plâtre en segments de 8 à 10 cm de long.

3. L'enfant qui veut imprimer son pied ôte ses chaussures et ses chaussettes, puis s'assied sur la chaise.

4. Il pose ensuite sa jambe sur un tabouret afin de surélever le pied.

5. Vous pouvez à présent commencer le modelage : trempez quelques instants la bande de plâtre dans l'eau contenue dans la soucoupe, placez-la sur le pied et pressez-la avec les doigts mouillés. Humidifiez la bande suivante et placez-la sur le pied en veillant à ce qu'elle chevauche légèrement la première. Continuez jusqu'à ce que tout le pied soit recouvert jusqu'à la cheville par trois épaisseurs de plâtre environ.

6. Dès que le plâtre commence à sécher, détachez le moulage du pied en agissant avec précaution sur le cou-de-pied et sur le talon. Égalisez ensuite le bord de l'ouverture avec les doigts mouillés, puis faites sécher le moulage pendant un certain temps.

7. L'enfant nettoie son pied dans la cuvette d'eau et enfile à nouveau ses chaussettes et ses chaussures.

8. Au bout d'un jour ou deux, le moulage est sec et peut être peint à la peinture acrylique. Pour encore identifier l'empreinte au bout de quelques années, inscrivez le nom de l'enfant et la date du moulage sur la semelle.

HIPPOPOTAME

à partir de 5 ans

- du bristol
- du papier calque
- un crayon
- des ciseaux
- un feutre noir
- une règle
- du papier crépon
- un rouleau de papier toilette
- de la colle

Les emballages en forme d'animaux sont toujours très appréciés. Surtout lorsqu'ils présentent un sourire aussi malicieux que celui de cet hippopotame. Vous pourrez placer dans son ventre une petite surprise destinée à l'un de vos copains.

1. Décalquez l'hippopotame du patron sur du bristol, puis découpez-le.

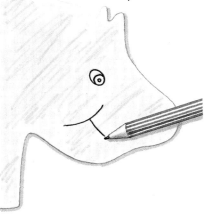

2. Comme indiqué sur le dessin, dessinez de part et d'autre de la tête un œil, une moitié de gueule et un pli du sourire.

3. Tracez ensuite avec la règle et le crayon un rectangle de 22 x 20 cm sur le papier crépon et dé-

coupez-le. Les lignes du papier doivent être dans le sens de la longueur.

4. Encollez le rouleau de papier toilette, puis recouvrez-le du papier crépon.

5. Entortillez un peu les extrémités latérales qui dépassent, puis rentrez-les dans le rouleau.

6. Encollez la moitié du rouleau et pressez-la sur le dos de l'hippopotame. Maintenez les pièces jusqu'à ce que la colle soit sèche.

7. Placez votre cadeau à l'intérieur du ventre de l'animal en ouvrant un côté du rouleau de papier crépon, puis refermez-le.

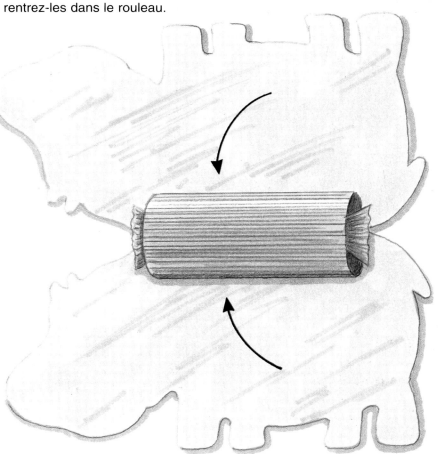

TABLEAU EN ARGILE : VOILIER

à partir de 5 ans

- de l'argile
- un rouleau à pâtisserie
- un couteau
- du papier calque
- du carton fin
- un crayon et des ciseaux
- une aiguille à tricoter
- du papier journal
- du vernis prêt à l'emploi brun, bleu foncé et bleu moyen
- des pinceaux
- 2 clous

Le vent et les intempéries n'altéreront pas ce paysage en argile, vous pouvez donc le fixer sur le mur extérieur de la maison. Si vous souhaitez offrir ce paysage comme décoration de porte, vous pouvez également inscrire le nom du destinataire au vernis sur l'une des voiles.

1. Aplatissez un morceau d'argile jusqu'à obtention d'une galette de 0,5 cm d'épaisseur, puis découpez-y un carré de 15 cm de côté. Vous obtenez ainsi votre fond.

2. Faites une autre galette d'argile d'une épaisseur d'environ 0,3 cm et reportez-y les formes du voilier, des vagues et des poissons. À cet effet, commencez par décalquer les 7 éléments du patron sur du carton fin, puis découpez-les. Placez ensuite les formes sur l'argile et marquez leurs contours dans la matière avec une aiguille à tricoter. Ôtez les patrons et découpez les éléments avec un couteau.

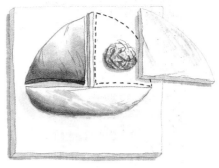

4. Pour réaliser le mât, formez un rouleau en argile de 7 cm de long et de 0,5 cm de diamètre. Placez le mât verticalement sur la coque et lissez soigneusement les bords.

5. Formez deux boules de papier journal de tailles différentes. Disposez la plus grosse à droite du mât et la plus petite à gauche.

6. Placez la grande voile sur la boule de droite et la petite sur celle de gauche. Lissez les bords de ces formes sur le fond et le long du mât. Laissez en revanche des arêtes nettes au-dessus du bord du bateau pour donner l'impression que le vent souffle dans les voiles. Pendant la cuisson, les boules se transformeront en cendres qui s'échapperont par les orifices des voiles.

3. Placez à présent la coque du voilier sur le fond et lissez son bord inférieur avec précaution. Le bord supérieur peut ressortir quelque peu.

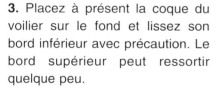

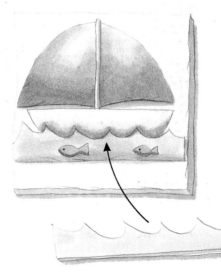

7. Pour réaliser la mer, placez l'une des formes de vagues sur le fond de manière à ce que ses extrémités latérales touchent les bords du tableau et à ce que les pointes des vagues chevauchent légèrement la coque. Lissez doucement le bord.

8. Pressez ensuite les poissons sur les vagues et lissez-les légèrement.

9. Placez la deuxième forme de vagues en la décalant par rapport à la première et lissez les bords inférieur et latéraux. Dessinez ensuite des vaguelettes sur le fond avec l'aiguille à tricoter.

10. Pour confectionner les mouettes, formez deux petits rouleaux d'argile et disposez-les à côté du voilier.

11. Pour suspendre votre tableau, percez deux orifices dans les coins supérieurs avec l'aiguille à tricoter.

12. Laissez sécher le tableau pendant une semaine, puis portez-le à cuire.

13. Après la cuisson, vernissez votre tableau. Commencez par appliquer soigneusement le vernis brun au pinceau sur la coque. Enduisez ensuite les vagues de vernis bleu foncé. Terminez en passant le ciel au vernis bleu moyen. Pour en faire une plaque de maison, inscrivez le nom de l'habitant sur la voile au vernis bleu ou brun.

14. Avant la deuxième cuisson, faites sécher le tableau pendant une journée.

15. Il ne vous reste plus qu'à accrocher le tableau avec deux clous sur un mur extérieur ou intérieur de la maison.

PAPIER CADEAU EN PEINTURE À LA BILLE

à partir de 4 ans

- une boîte
- du papier blanc pour machine à écrire
- un crayon
- des ciseaux
- de la peinture acrylique
- une bille

Cette méthode de fabrication de papier cadeau est étonnamment simple. Le résultat obtenu sera très original et variera suivant la nature et les couleurs du papier choisi. Vous pouvez utiliser cette technique avec du papier blanc pour machine à écrire, mais aussi avec du papier de couleur, du papier vitrail ou du papier pour aquarelle.

1. Choisissez une boîte appropriée. Si le papier est trop grand, placez la boîte sur le papier et tracez-y les contours de celle-ci, puis découpez l'excédent.

2. Vous pouvez à présent commencer à « peindre ». Placez la feuille de papier blanc pour machine à écrire dans la boîte et répartissez-y quelques gouttes de peinture de différentes couleurs.

3. Introduisez la bille dans la boîte et faites-la rouler en levant et abaissant en alternance les côtés de la boîte. La bille trace ainsi des traits : elle prélève un peu de couleur dans une tache et la mélange avec celle de la suivante. Par vos mouvements, vous pouvez orien-ter la bille. Vous observerez avec intérêt comment les couleurs se mélangent.

4. Lorsque vous avez obtenu un résultat intéressant, sortez la feuille de la boîte et laissez-la sé-cher.

Astuce : vous pouvez découper une feuille décorée de la sorte et la coller sur une carte de vœux ou placer le papier dans un joli cadre et le suspendre au mur.

Lorsque
les feuilles
commencent
à tomber

CARTES DE CÉRÉALES

à partir de 6 ans

- du papier à dessin de couleur (DIN A5)
- des graminées séchées (feuilles et épis)
- de la colle
- de la cordelette de décoration
- de la ficelle solide
- des ciseaux
- du ruban cadeau

Lors de votre prochaine promenade, cueillez des graminées et des épis et faites-les sécher dans un vase sans eau.

Une semaine plus tard, vous pourrez confectionner des cartes de vœux personnalisées que vous ne pourrez acheter nulle part.

1. Pour obtenir une carte, pliez la feuille de papier à dessin en deux.

2. Décorez l'avant de celle-ci avec des graminées séchées. À cet effet, placez un bel épi au centre de la carte et collez-le.

3. Collez l'épi suivant en oblique par rapport au premier.

4. Collez les autres graminées de manière à ce qu'elles se croisent toutes en un point et forment un bouquet.

5. Confectionnez une cocarde à l'aide d'un morceau de cordelette de décoration et collez celle-ci à l'endroit où tous les épis se rejoignent.

Variantes

1. Au lieu de coller les graminées une à une sur la carte, vous pouvez également réaliser le bouquet dans votre main avant de le coller.

2. À cet effet, nouez le bouquet avec un morceau de ficelle solide et encollez l'arrière de celui-ci.

3. Pressez ensuite le petit bouquet sur la carte, puis coupez les tiges trop longues avec des ciseaux.

4. Réalisez une cocarde avec un morceau de ruban cadeau.

MOBILE : HÉRISSONS DANS UN FEUILLAGE AUTOMNAL

à partir de 4 ans

- du papier calque
- un crayon
- des ciseaux
- du bristol de couleur brune
- du bristol jaune, vert et rouge
- de la colle
- du raphia
- une agrafeuse
- des feuilles séchées
- des punaises

Une belle idée : un mobile constitué de feuilles séchées accrochées sur du raphia avec des petits hérissons portant sur leur dos des pommes et des poires de toutes les couleurs. Ce mobile constituera une décoration automnale originale pour une chambre d'enfant.

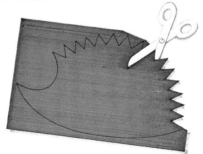

1. Avec du papier calque et un crayon, décalquez six à dix fois le modèle de hérisson sur le bristol brun, puis découpez les formes obtenues. Pour obtenir des piquants bien pointus, pratiquez sur le dos de l'animal des entailles en forme de V à partir du bord.

2. Décalquez à plusieurs reprises la poire et la pomme sur du bristol vert, jaune et rouge. Prévoyez un fruit pour chaque hérisson.

3. Collez ensuite une pomme ou une poire sur chaque animal.

4. Découpez plusieurs fils de raphia de 2 mètres de long et agrafez l'extrémité inférieure du premier fil sur le fruit d'un hérisson.

5. Nouez une feuille séchée environ 10 cm plus haut.

6. Fixez le hérisson suivant un peu au-dessus de la feuille, puis nouez une nouvelle feuille. Poursuivez jusqu'à ce que vous ayez accroché des feuilles et des hérissons sur toute la longueur du raphia.

7. Fixez l'extrémité supérieure du fil au plafond à l'aide d'une punaise.

8. Procédez de la même manière avec le fil de raphia suivant et suspendez-le au plafond à côté du premier. Pour obtenir un bel effet, suspendez 3 à 5 longueurs de raphia les unes à côté des autres.

FÉES EN FAÎNES

à partir de 4 ans

- des cupules de faînes
- de la colle
- des perles en bois (1 cm de Ø)
- de la laine vierge ou de la ouate
- des crayons de couleur ou des feutres
- des cupules de glands
- du fil solide

Les fées sont de petits êtres fabuleux que l'on peut apercevoir dans les forêts. Ces fées en faînes sont elles aussi originaires des sousbois. Pour les réaliser, il vous faudra collecter suffisamment de cupules de faînes et de glands. Vous pourrez ensuite les suspendre en de multiples endroits où l'on ne s'attend généralement pas à trouver des fées : sur l'abat-jour dans une chambre d'enfant, sur de petites branches ou encore sur le ruban d'un emballage cadeau.

1. Pour réaliser le vêtement de la petite fée, choisissez une cupule de faîne ayant une jolie forme et encollez sa tige.

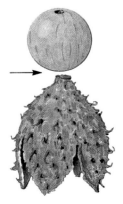

2. Enfoncez ensuite une perle en bois sur la tige pour former la tête.

3. Pour les cheveux, collez quelques brins de laine vierge sur la perle ou un petit morceau de ouate que vous aurez préalablement effilé.

4. Dessinez ensuite une bouche et des yeux au crayon de couleur ou au feutre.

5. Collez à présent une cupule de gland de taille adéquate sur les cheveux.

6. Pour suspendre la fée, nouez un morceau de fil solide autour de la pointe de la cupule.

CERF-VOLANT D'INVITATION

à partir de 5 ans

- du papier calque
- un crayon
- du bristol jaune
- des ciseaux
- une petite pièce de monnaie
- chutes de bristol bleu, vert et jaune
- de la colle
- un feutre noir
- une aiguille
- du fil à coudre

Vous ne verrez pas tous les jours flotter un cerf-volant aussi amusant dans la maison. Lorsqu'il tirera sa grande langue, vous pourrez lire le message qu'il apporte.

1. Avec du papier calque et un crayon, décalquez le cerf-volant du patron sur du bristol rouge et la langue sur du bristol jaune, puis découpez les formes obtenues.

2. Pour réaliser le nez, placez une petite pièce de monnaie sur le bristol bleu, tracez son contour au crayon et découpez le cercle obtenu.

3. Pour les yeux, découpez un autre cercle sur du bristol vert à l'aide de la pièce de monnaie. Pliez-le en deux et découpez-le suivant la ligne de pli. L'iris à l'intérieur de l'œil est constitué de deux petits triangles découpés dans du bristol jaune.

4. Disposez à présent le nez et les yeux sur le cerf-volant et collez-les. Dans les triangles jaunes, dessinez des pupilles au feutre noir. Tracez de grands traits noirs au-dessus des yeux pour symboliser les sourcils.

5. Découpez les oreilles et les cheveux dans du bristol jaune, puis effrangez l'un des côtés des formes obtenues. Collez ensuite ces éléments sur la tête du cerf-volant. Le visage est à présent terminé. Il ne vous reste plus qu'à confectionner la langue mobile.

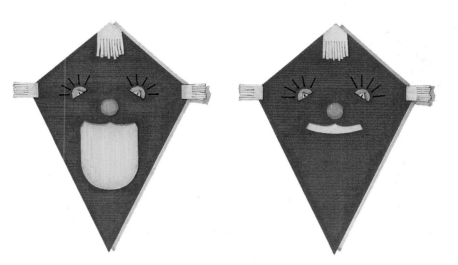

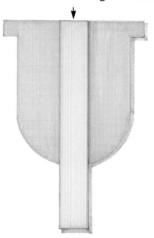

6. À cet effet, collez une bande de bristol de 2 x 16 cm sur le bord rectiligne de la forme.

7. Lorsque vous poussez la bande de carton par l'arrière dans l'orifice de la bouche, le cerf-volant tire la langue.

8. Repérez jusqu'où la langue sort et inscrivez votre message d'invitation.

9. Pour cacher votre texte, maintenez la langue à l'arrière du cerf-volant à l'aide d'un support. À cet effet, découpez une bande de 1,5 x 11 cm dans du bristol et collez les deux extrémités de celle-ci directement sous l'orifice de la bouche. Une fois la langue placée dans ce support, le cerf-volant affiche un sourire candide, sans sortir la langue naturellement.

10. Pour la queue du cerf-volant, décalquez six fois la cocarde du patron sur du bristol de différentes couleurs et découpez les formes obtenues.

11. Enfilez l'aiguille avec un grand morceau de fil à coudre noué à l'une des extrémités. Passez ensuite le fil dans les cocardes à intervalles réguliers, puis fixez-le sur la pointe inférieure du cerf-volant.

Astuce : Vous pouvez aussi réaliser un cerf-volant jaune, bleu ou vert. L'essentiel est de réfléchir au préalable à l'assortiment des couleurs.

CARTE À MOTIFS DE GRAPPE DE RAISIN

à partir de 4 ans

- du papier à dessin (DIN A5)
- un bouchon
- de la gouache
- un pinceau
- une carte postale brillante
- du papier calque
- un crayon
- des ciseaux
- de la colle

Imprimer soi-même une carte : un véritable plaisir. Et quelle rapidité ! Vous réaliserez les grains de raisin avec un bouchon et découperez la feuille de vigne dans une carte postale.

Le motif de grappe de raisin peut également être imprimé sur des sets de table ou des serviettes.

1. Pour réaliser la carte, pliez la feuille de papier à dessin en deux.

2. Commencez par imprimer des grains de raisin à l'avant de la carte. À cet effet, enduisez l'une des extrémités du bouchon de gouache bleue ou verte, puis pressez-la sur le papier. Imprimez ainsi une ligne de 5 grains. Après chaque impression, enduisez à nouveau le bouchon de peinture.

3. Les lignes suivantes se composeront respectivement de 4, de 3, puis de 2 grains. La pointe de la grappe sera constituée d'un seul grain.

4. Vous trouverez ci-contre le modèle pour la feuille. Décalquez-le sur une carte postale en papier glacé. Pour réaliser la poignée, découpez une bande de 2 cm de large dans le long côté de la carte,

pliez-la comme indiqué sur le schéma, puis collez-la au dos de la feuille.

5. Appliquez de la peinture rouge et verte sur le motif de feuille et pressez celui-ci sur la carte, juste au-dessus de la grappe.

Une fois la peinture sèche, inscrivez votre message à l'intérieur de la carte.

Modèle à décalquer

Feuille de vigne

TABLEAU : POMMIER

à partir de 4 ans

- un set de table lavable
- 4 petites assiettes
- de la peinture acrylique verte, marron, rouge et jaune
- un crayon
- du bristol bleu clair (DIN A4)
- 2 gros bouchons de champagne
- 2 bouchons de vin plus étroits
- un pinceau-brosse
- du bristol bleu foncé

À l'instar de la grappe de raisin de la page précédente, le motif de pommier est lui aussi imprimé sur le papier à l'aide de bouchons. Mais cette fois, la surface à imprimer est beaucoup plus importante et nous avons légèrement modifié la technique.

1. Recouvrez votre plan de travail d'un set de table lavable. Versez un peu de peinture acrylique verte, marron, rouge et jaune dans les petites assiettes et placez celles-ci sur le set de table.

2. Au crayon, dessinez à main levée les contours du tronc et du feuillage de l'arbre sur du bristol bleu clair.

3. Vous pouvez à présent commencer à imprimer : trempez une extrémité de l'un des bouchons de champagne dans la peinture brune et pressez-la sur le tronc.

Répétez l'opération jusqu'à ce que le tronc soit entièrement couvert de points marrons. Veillez à ne laisser aucun espace entre les points.

4. À l'aide du deuxième bouchon de champagne, recouvrez tout le feuillage de points verts, mais cette fois, vous pouvez laisser passer un peu de ciel bleu au travers des feuilles.

5. Lorsque la peinture est sèche, parsemez le feuillage de points

rouges et jaunes à l'aide de l'un des bouchons de vin. Ils représenteront les pommes.

6. À l'aide du pinceau-brosse, peignez enfin de « l'herbe » au bas de votre tableau.

7. Lorsqu'il est terminé, collez votre tableau sur une feuille de bristol bleu foncé. Le carton doit dépasser de 5 à 10 cm.

MÉDAILLE EN PAPIER CRÉPON

à partir de 4 ans

- du papier à dessin de couleur
- du papier crépon
- une tasse (10 cm de diamètre)
- un crayon
- des ciseaux
- de la colle
- de la cordelette argentée
- une agrafeuse
- du papier de couleur, des feuilles séchées, des pièces, etc. pour décorer la médaille

Les occasions d'offrir une médaille sont nombreuses. Vous pouvez par exemple offrir une médaille décorée de bougies à un enfant qui fête son anniversaire ou, pour la rentrée, une médaille ornée d'un cartable stylisé. Le participant le plus fair-play à un jeu recevra une médaille avec un calumet de la paix, tandis qu'une bonne action en faveur de l'environnement sera récompensée par une médaille ornée d'une feuille d'érable.

1. La médaille se compose de deux cercles de papier de couleur et d'une manchette en papier crépon. Pour réaliser les deux cercles, tracez deux fois le contour de la tasse au crayon sur le papier de couleur. Découpez les deux disques obtenus.

2. Pour la manchette, découpez une bande de papier crépon de 6 x 100 cm.

3. Encollez le bord de l'un des cercles et fixez-y la bande de papier crépon en rond.

4. Encollez ensuite le deuxième cercle et pressez-le avec précaution sur le premier.

5. Pour suspendre la médaille, utilisez un morceau de cordelette argentée. Introduisez-la entre les deux cercles de papier de couleur et agrafez-la en deux endroits.

6. Décorez ensuite la médaille, en fonction de l'occasion à laquelle elle sera offerte, de petites bougies en papier de couleur, d'un petit cartable, d'une feuille séchée, d'une pièce de monnaie ou de tout autre objet. Vous verrez : en cherchant un peu, vous trouverez une foule d'idées de décoration !

COMPOSITION EN MATÉRIAUX NATURELS

à partir de 4 ans

- un grand panier en osier
- des jumelles
- de vieux journaux
- un guide des animaux et des plantes de la forêt
- un couteau
- une loupe
- un plateau
- un livre épais pour sécher les feuilles
- du fil à coudre et une aiguille

L'automne : une saison merveilleuse pour observer la nature, prendre conscience des changements qui s'opèrent et s'émerveiller devant l'inconnu. Les « bricolages classiques » ne sont pas les seuls à libérer une énergie créatrice, c'est aussi le cas des activités liées à la découverte et à l'expérimentation et dont le résultat n'est pas acquis dès le départ.

Profitez d'une journée d'automne ensoleillée pour vous lancer dans une « chasse aux trésors » en forêt. Enfilez des vêtements et des chaussures confortables et emportez un grand panier d'osier et des jumelles.

Ramassez toutes les petites choses qui ont changé depuis l'été : les feuilles multicolores, les fruits, les baies et les graines. Mais placez également dans votre panier des champignons, des petites branches de hêtre, de sapin et de mélèze, des morceaux de mousse aux formes étranges et de l'écorce d'arbre. Ramassez la coquille d'un œuf d'oiseau et une plume particulièrement jolie. Vous trouverez certainement quelques fruits d'églantier, des faînes, des pommes de pin et des glands.

De retour à la maison, étalez tous vos trésors sur du papier journal. Aidez-vous d'un guide pour en savoir plus sur vos découvertes : Quel est le nom de ces baies noires ? De quel oiseau peut provenir cette plume ? À quel arbre appartient cette feuille ?

Observez à présent plus en détail certaines de vos trouvailles. Nettoyez un fruit d'églantier, coupez-le en deux et observez à la loupe l'intérieur du fruit. Vous verrez apparaître les pépins et la pulpe du fruit ainsi que les petits poils et la barbe qui démangent au contact de la peau. Ôtez les poils et les pépins et goûtez le fruit. Il a un goût délicat, légèrement sucré. Vous pouvez également examiner d'autres baies, fruits et champignons avec vos parents. Avant de les goûter, demandez toujours à un adulte s'ils sont comestibles !

Prenez le plateau et disposez-y vos plus jolis trésors. Vous pouvez à présent découvrir comment les objets évoluent de jour en jour : ils sèchent, se racornissent et changent de couleur.

Faites sécher les jolies feuilles dans un gros livre. Avec les glands et les châtaignes, confectionnez des pendentifs, des hérissons et des petits sujets forestiers. Vous pourrez également enfiler les fruits d'églantier pour former des colliers ou les faire sécher et en faire du thé.

Nous n'avons cité que quelques-unes des multiples possibilités d'exploitation des trésors que vous avez rassemblés. En vous intéressant aux matériaux naturels, vous aurez sans aucun doute de nombreuses autres idées.

Cartes
de vœux à
confectionner
soi-même

SAPIN DE NOËL EN CARTON ONDULÉ

à partir de 4 ans

- du papier de couleur naturelle (18 x 14 cm)
- du papier calque
- un crayon
- des ciseaux
- du carton ondulé vert
- de la colle
- de petites étoiles de décoration
- des paillettes dorées
- un stylo-plume ou un feutre bleu

Réaliser soi-même de superbes cartes de Noël est une activité passionnante pour la période de l'Avent. Et si toute la famille participe, vous passerez des soirées de bricolage extraordinaires !

1. Pour obtenir la carte, pliez le papier de couleur naturelle en deux.

2. Décalquez ensuite le modèle de sapin de Noël sur l'arrière du carton ondulé et découpez-le.

3. Pliez le sapin en deux, ouvrez-le et collez-le sur l'extérieur de la carte, pli contre pli. Vous verrez ainsi apparaître une moitié de sapin sur l'avant de la carte.

4. Pour la décoration, collez à présent de petites étoiles sur l'arbre. Répartissez ensuite quelques gouttes de colle sur le motif et saupoudrez de paillettes dorées. Une partie de celles-ci adhérera à la colle. Éliminez enfin la poudre en excès.

5. Terminez en inscrivant vos vœux de Noël au stylo-plume ou au feutre bleu à l'intérieur de la carte.

ÉTOILE COUSUE

à partir de 4 ans

- *du papier à dessin de couleur*
- *des ciseaux*
- *une règle*
- *un crayon*
- *du papier calque*
- *du papier journal*
- *une grosse aiguille à repriser*
- *du fil doré*
- *une aiguille*
- *de la colle*
- *un feutre noir*

Coudre un motif sur du carton : une activité pour le moins originale. Pour que la couture soit plus facile, prépercez les trous avec une grosse aiguille à repriser. Ainsi, même un jeune enfant pourra passer le fil et coudre une jolie étoile à l'avant de la carte de vœux.

1. Dans le carton de couleur, découpez une bande de 31 x 11 cm et pliez-la en son centre pour obtenir une carte horizontale.

2. Décalquez les deux étoiles du patron sur la partie intérieure gauche de la carte. Veillez à ne pas insister sur les traits, mais plutôt sur les points des pointes intérieures et extérieures.

3. Placez la carte sur plusieurs couches de papier journal et percez les trous avec une grosse aiguille à repriser.

4. Enfilez l'aiguille avec le fil doré et nouez l'extrémité. Cousez d'abord l'étoile extérieure au point de devant en deux tours en commençant par les côtés gauches des branches. Vous coudrez les côtés droits au tour suivant.

5. Cousez de la même manière l'étoile intérieure. Si vous avez respecté les instructions, les traits noirs seront recouverts par le fil.

6. Découpez ensuite un deuxième morceau de carton de couleur de 15,5 x 11 cm et collez-le à l'intérieur pour cacher les coutures.

7. Si vous le souhaitez, vous pouvez inscrire « Joyeux Noël » à côté de l'étoile à l'avant de la carte.

SAPIN ET ÉTOILE EN BRISTOL DE COULEUR

à partir de 5 ans

- du carton rigide
- du papier calque
- un crayon
- des ciseaux
- du bristol vert (18 x 14 cm)
- un feutre doré ou argenté
- des petites et des grandes étoiles de décoration
- de la colle
- du bristol bleu (20 x 15 cm)

Ces cartes jouent avec raffinement avec les côtés intérieurs et extérieurs. Lorsque la carte est fermée, on aperçoit ainsi la moitié d'une étoile ou d'un sapin. Pour faire apparaître la totalité du motif, il suffit d'ouvrir la carte. Et c'est alors que l'on peut lire les vœux.

Sapin

1. Sur du carton rigide, décalquez la moitié de la forme de sapin figurant sur le patron et découpez-la. Vous obtenez ainsi votre modèle.

2. Pliez la feuille de bristol vert en deux. Placez le patron de sapin sur la carte, côté rectiligne sur la ligne de pli, puis tracez-en précautionneusement les contours au crayon.

3. Ouvrez la carte et découpez la moitié de sapin en suivant ses contours.

4. Repassez au feutre doré les bords de l'arbre des deux côtés du rabat.

5. Refermez la carte et repassez les contours extérieurs de la moitié du sapin, de manière à ce que le trait apparaisse aussi à l'intérieur de la carte.

6. Lorsque vous ouvrez la carte, un sapin entier apparaît alors à l'intérieur de celle-ci. Inscrivez « Joyeux Noël » au feutre doré au centre de l'arbre.

7. Refermez à nouveau la carte et décorez-la de petites et de grandes étoiles.

Étoile

1. Pour réaliser la carte en étoile, procédez de la même façon que pour le sapin. Mais cette fois, employez du bristol bleu dans lequel vous découperez un rectangle de 20 x 15 cm. Pour obtenir la carte à rabat, pliez la feuille en deux.

2. Vous trouverez le modèle d'étoile sur le patron. Pour obtenir un modèle, décalquez le motif sur du carton rigide et découpez-le.

3. Réalisez ensuite la carte en suivant les instructions de la carte au motif de sapin.

TECHNIQUE « D'ÉCLABOUSSURE » :

GARÇONNET AUX BALLONS

à partir de 5 ans

- du papier à dessin blanc (DIN A4)
- du papier calque
- un crayon
- des ciseaux
- du bristol de couleur
- une grille
- une vieille brosse à dents
- de la gouache
- un feutre noir

Cette carte décorée de ballons de couleurs connaîtra un grand succès, car elle produit un effet surprenant avec des moyens très simples.

1. Pour obtenir la carte, pliez la feuille de papier blanc en deux.

2. Décalquez le modèle ci-contre de garçonnet aux cinq ballons sur du bristol de couleur et découpez les différents éléments.

3. Disposez le garçon et les ballons sur l'avant de la carte.

4. Vous pouvez à présent commencer à « éclabousser » la carte. D'une main, maintenez la grille à 15 cm au-dessus de la carte et de l'autre, plongez la brosse à dents dans la peinture la plus claire, le jaune dans notre exemple.

Frottez ensuite avec précaution la

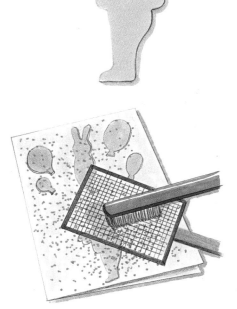

brosse à dents sur la grille pour que la peinture tombe en fines gouttelettes sur la carte. Attention : si vous prenez trop d'eau sur votre brosse, vous risquez de faire des taches.

5. Ôtez ensuite un ballon et vaporisez la carte avec une couleur un peu plus sombre.

6. Répétez l'opération avec les différentes couleurs en ôtant à chaque fois un ballon jusqu'à ce qu'il ne reste plus que le garçonnet que vous laisserez en blanc. Laissez ensuite sécher la carte.

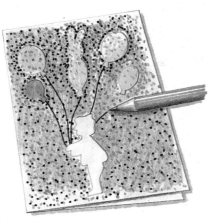

7. Au feutre noir, dessinez les ficelles reliant chaque ballon à la main du garçonnet. Vous pourrez obtenir des cartes différentes en disposant différemment les ballons.

CARTES À BANDE SCINTILLANTE

à partir de 6 ans

- du bristol
- une règle
- un crayon
- des ciseaux
- du ruban adhésif double face
- des feuilles séchées
- du papier journal
- de la poudre scintillante de différentes couleurs

Vous pouvez également réaliser de magnifiques cartes de vœux sans dessiner. Des feuilles séchées et de la poudre scintillante orneront de motifs intéressants des cartes que vous pourrez envoyer à de multiples occasions.

1. Commencez par tracer un rectangle de 21 x 15 cm sur le bristol et découpez-le.

2. Pliez ce rectangle en deux pour obtenir la carte.

3. Collez une bande de ruban adhésif double face à l'avant de la carte et découpez les parties qui dépassent.

4. Ôtez la bande de protection et disposez des feuilles séchées sur le ruban adhésif. Réfléchissez au préalable à la disposition des feuilles, car, une fois posées, vous ne pourrez plus les déplacer.

5. Placez la carte sur une grande feuille de papier journal et saupoudrez-la de poudre scintillante de la première couleur.

6. Pour éliminer l'excédent de poudre, il suffit de secouer la carte.

7. En vous aidant du journal, récupérez l'excédent de poudre en le versant dans sa boîte, puis saupoudrez la carte avec la couleur suivante.

8. Saupoudrez la carte avec les différentes couleurs de poudre jusqu'à ce que la bande adhésive soit entièrement recouverte.

COLLAGE DE NOËL

à partir de 4 ans

- du papier à dessin noir
- une règle
- un crayon
- des ciseaux
- du carton rigide
- du papier cadeau
- du papier à dessin
  de couleur
- du papier calque
- de la colle
- un feutre doré

Tout enfant capable de se servir de ciseaux pourra fabriquer cette carte. L'essentiel est de bien choisir le papier cadeau et l'étoile en bristol assortie.

1. Dans du papier à dessin, découpez un rectangle de 21 x 15 cm, puis pliez celui-ci en deux pour obtenir la carte.

2. Découpez à présent un rectangle de 7 x 10 cm dans du papier cadeau et collez-le dans le coin inférieur droit de l'avant de la carte.

3. Décalquez l'une des deux étoiles du patron sur du papier à dessin de couleur assortie et découpez-la.

4. Placez l'étoile en haut à gauche en lui faisant chevaucher le rectangle de papier cadeau. Inscrivez ensuite au feutre doré votre message à l'intérieur de la carte.

CARTES AROMATIQUES

à partir de 4 ans

- du bristol de couleur
- une règle
- un crayon
- des petits ciseaux pointus
- du papier calque
- du papier journal
- un pinceau
- de la colle à papier peint
- des épices comme
  du paprika, du curry,
  de l'aneth, du poivre ou
  du laurier en poudre
- de la colle de bricolage

Toute personne sensible aux petites attentions se réjouira de recevoir cette carte parfumée aux épices. Selon la circonstance et le destinataire, vous pouvez modifier les odeurs et remplacer la muscade, le poivre et le laurier qui dégagent une senteur assez forte, par l'arôme plus délicat de la rose, de la lavande ou de la camomille. Vous obtiendrez également des parfums agréables avec des pots-pourris de fleurs séchées que vous pouvez broyer et coller à l'intérieur du cadre figurant à l'avant de la carte.

1. Pour obtenir la carte, découpez une bande de 10,5 x 30 cm dans du bristol de couleur et pliez-la en deux.

2. Décalquez ensuite l'ovale du patron sur le devant de la carte et découpez prudemment le modèle avec les petits ciseaux pointus en suivant la ligne. La carte possède maintenant une fenêtre ovale.

3. Dans un deuxième morceau de bristol de couleur, découpez maintenant un rectangle de 10,5 x 15 cm.

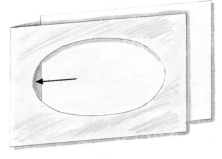

4. Insérez ce rectangle entre les deux parties de la carte, puis tra-

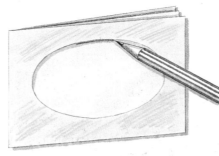

cez au crayon les contours de l'ovale. Vous aurez ainsi déterminé la surface que vous parsèmerez d'épices par la suite.

5. Posez le rectangle sur une feuille de papier journal et, avec le pinceau, appliquez un peu de colle à papier peint sur la surface ovale.

6. Saupoudrez successivement la surface d'épices comme du paprika, du curry, de l'aneth, du poivre et du laurier en poudre. Vous pourrez réutiliser les restes de condiments tombés sur le journal.

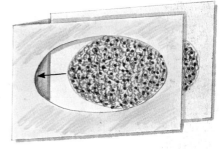

7. Dès que la colle à papier peint est sèche, enduisez les bords du rectangle de colle de bricolage et placez celui-ci derrière la fenêtre ovale de la carte de façon à ce que les épices apparaissent dans le cadre.

CARTE-ÉPI

à partir de 5 ans

- du papier à dessin vert
- une règle
- un crayon
- des ciseaux
- du papier à dessin jaune
- de la colle
- une petite pièce de monnaie

Dans bien des régions, on organise souvent à la fin de l'été une fête à l'occasion de la récolte. Pour les enfants surtout, cette fête constitue une splendide occasion de s'ébattre à nouveau en plein air. Afin que tout se déroule au mieux, les enfants peuvent participer aux préparatifs et réaliser par exemple de jolies cartes d'invitation ornées d'un épi.

1. Tracez un rectangle de 21 x 15 cm sur le papier à dessin vert. Découpez-le et pliez-le en deux pour former la carte.

2. Découpez une fine tige dans le papier à dessin jaune et collez-la à l'avant de la carte. Ensuite, découpez en pointe de fines bandelettes de ce même papier pour représenter les feuilles et collez-les des deux côtés de la tige.

3. Pour l'épi, dessinez 12 cercles sur le papier jaune en vous servant d'une petite pièce de monnaie dont vous tracerez les contours.

4. Découpez les disques obtenus et pliez-les en deux pour obtenir des demi-cercles.

5. À partir du sommet de la tige, tracez au crayon un trait vertical d'environ 5 cm de long.

6. En commençant par le haut du trait, collez à présent la moitié droite du premier cercle à droite du trait. La moitié gauche du

cercle se trouvera ainsi légèrement relevée par rapport à la carte.

7. Collez ensuite de la même façon le deuxième demi-cercle, en veillant à ce qu'il recouvre à moitié le premier.

8. Procédez de la même manière pour les cercles suivants jusqu'à ce que le sixième touche le sommet de la tige. Vous aurez ainsi réalisé le côté droit de l'épi.

9. En repartant du haut, collez les six cercles restants à gauche du trait, en vous assurant que les cercles de gauche et de droite se trouvent bien à la même hauteur.

L'épi donne l'impression d'être en relief, car les demi-cercles non collés se détachent au centre.

CARTE À PIGEON

à partir de 5 ans

- du papier à dessin bleu (DIN A4)
- du papier calque
- un crayon
- des ciseaux
- une règle
- un cutter
- du papier à dessin blanc
- du papier pour machine à écrire
- un feutre ou un stylo à bille
- de la colle

Comme les pigeons sont capables de s'orienter sur de longues distances, on les utilisait autrefois pour transmettre des messages importants. Votre pigeon parviendra sans nul doute à faire de même avec l'invitation à votre fête. Le lieu, la date et l'heure du rendez-vous seront indiqués sur la bandelette de papier qu'il tire derrière lui.

1. Pliez le papier à dessin de couleur en deux.

2. Décalquez le patron du nuage sur le papier en faisant coïncider le bord gauche avec la ligne de pli, puis découpez le motif obtenu. Vous obtiendrez ainsi la carte.

3. Pour pouvoir découper la fenêtre, ouvrez la carte et tracez avec le crayon et la règle un rectangle étroit sur la partie gauche.

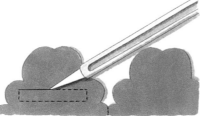

4. Évidez le rectangle avec le cutter.

5. Décalquez ensuite le pigeon du patron sur le papier à dessin blanc et la bandelette destinée au texte sur le papier machine, puis découpez-les.

6. Notez sur la bandelette le lieu, la date et l'heure de votre fête, puis pliez-la en accordéon.

7. Collez le pigeon sur le bord gauche de la bandelette et l'envers du bord droit sur le côté droit de la fenêtre.

Lorsque le destinataire de la carte tirera sur le pigeon, la bandelette se dépliera et il pourra ainsi prendre connaissance du message.

CARTES GRAVÉES SUR LINOLÉUM

à partir de 7 ans

- un cutter pour papier
- un morceau de linoléum
- une règle
- un crayon
- du papier calque
- un couteau pour linoléum avec différentes lames
- du papier journal
- un tablier
- une plaque de verre
- de la peinture pour linogravure
- un rouleau en mousse
- une feuille de papier à dessin (DIN A4)
- du papier à dessin de couleur
- des ciseaux
- de la colle
- un feutre

Quand on a beaucoup d'amis, il est particulièrement intéressant de réaliser des cartes de Noël selon la technique de la linogravure. Il suffit en effet de graver un motif d'étoile dans le linoléum et de le reproduire ensuite en un nombre d'exemplaires illimité sur des cartes en papier de couleur. Selon la couleur que vous choisirez pour le papier ou l'impression, vous obtiendrez un effet différent et vous pourrez ainsi confectionner les cartes les plus diverses avec un seul modèle.

1. Commencez par découper au cutter un rectangle de linoléum de 15 x 11 cm.

2. Reportez ensuite l'étoile du patron sur ce rectangle et gravez les contours du motif avec le cutter pour linoléum (lame en V). Attention : ces instruments sont très tranchants. Aussi, gardez-les toujours à bonne distance de votre corps pour éviter de vous blesser.

3. Creusez 4 des 8 branches de l'étoile sur toute leur surface à l'aide du couteau pour linoléum (lame en U) ; dans les 4 branches restantes, gravez des petits triangles avec la lame en V.

4. Pour aérer le motif, gravez d'autres triangles entre les branches de l'étoile. Le modèle sera prêt dès que le motif vous plaira.

5. Vous pouvez maintenant imprimer l'étoile. Recouvrez tout d'abord la table de papier journal et enfilez un tablier. Répandez ensuite un peu de couleur sur la plaque de verre et étendez-la avec le rouleau en mousse. La couleur doit se répartir uniformément sur le rouleau.

6. Passez ensuite le rouleau sur le rectangle de linoléum jusqu'à ce que toutes les parties saillantes soient couvertes de peinture. Attention : le motif gravé doit rester intact.

7. Pressez le côté enduit de peinture sur une feuille de papier à dessin de couleur en insistant sur les coins. Ensuite, ôtez le rectangle de linoléum et laissez sécher le papier.

8. Il ne vous reste plus qu'à confectionner la carte : pliez le papier à dessin en deux pour obtenir une feuille de format DIN A5. Découpez ensuite le motif imprimé et collez-le à l'avant de la carte. Enfin, inscrivez avec un feutre vos vœux de Noël dans la partie intérieure.

Que
la lumière
soit !

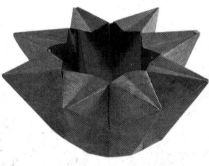

BOUGEOIR ÉTOILÉ

à partir de 8 ans

- du papier à dessin de couleur (DIN A3)
- du papier calque
- un crayon
- des ciseaux
- une bougie chauffe-plats
- de l'huile alimentaire
- un pinceau

Pour réaliser ce joli lumignon, il suffit d'un morceau de papier de couleur et d'une bougie chauffe-plats. Pour le confectionner rapidement, vous devrez avoir une certaine habitude du pliage ou demander à vos parents de vous indiquer la marche à suivre.

1. Décalquez l'octogone du patron sur le papier de couleur et découpez-le.

2. Pliez ensuite le papier en suivant les lignes en pointillés. Marquez chaque pli, puis ouvrez à nouveau l'octogone.

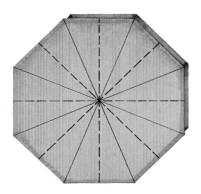

3. Retournez le papier et pliez-le une nouvelle fois selon les lignes en pointillés avant de le rouvrir.

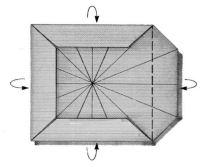

4. Rabattez deux à deux les côtés de l'octogone vers le centre de manière à constituer un carré.

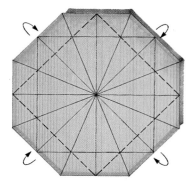

5. Ouvrez à nouveau le papier, puis pliez-le de la manière indiquée sur le dessin pour former un nouveau carré.

6. Ouvrez une nouvelle fois le papier, puis repliez vers l'intérieur les losanges que vous avez obtenus grâce au pliage.

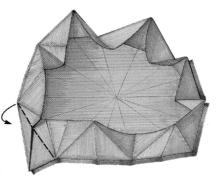

7. Rabattez maintenant une des pointes saillantes vers l'arrière.

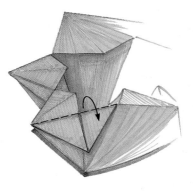

8. Procédez de même avec chacune des autres pointes. Les bords se redresseront et vous aurez ainsi réalisé votre étoile.

9. Avec la main, aplatissez le fond de l'étoile pour pouvoir y placer une bougie.

10. Pour que votre étoile soit translucide, enduisez-la d'un peu d'huile et posez la bougie à l'intérieur.

LAMPE DE TABLE À L'ORANGE

à partir de 4 ans

- du papier éléphant (DIN A5)
- du papier calque
- un crayon
- des ciseaux
- de la colle
- des petites étoiles de décoration
- une orange
- des clous de girofle
- une bougie chauffe-plats
- 3 ou 4 cure-dents

Cette lampe de table a un cachet tout particulier. Si vous la confectionnez pendant la période de l'avent, elle répandra pendant les jours de fête une délicate senteur d'orange et de girofle.

Remplacez la bougie qui se trouve à l'intérieur dès qu'elle est consumée.

1. Décalquez l'abat-jour du patron sur le papier éléphant et découpez-le.

2. Collez ensuite les bords de façon à obtenir une forme incurvée.

3. Décorez l'extérieur de l'abat-jour de petites étoiles que vous fixerez avec de la colle.

4. Préparez maintenant l'orange. Piquez le pourtour de l'écorce de clous de girofle disposés en lignes droites ou courbes.

5. Posez la bougie au sommet de l'orange et maintenez-la en place avec 3 ou 4 cure-dents placés tout autour et enfoncés dans l'écorce.

6. Disposez à présent l'abat-jour sur les pointes des cure-dents. Vous choisirez la hauteur qui vous

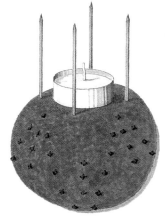

convient en tirant sur les bâtonnets ou en les enfonçant davantage dans l'orange.

BOUGIE TACHETÉE

à partir de 4 ans

- du papier journal
- une bougie ordinaire
- un bougeoir
- des allumettes
- des restes de bougies de couleur
- des grosses bougies

Une grosse bougie ornée de gouttes de cire constituera un joli présent pendant la période d'automne et d'hiver.

Si vous le souhaitez, vous pouvez l'accompagner d'un support en liège ou en argile.

1. Couvrez tout d'abord votre plan de travail de papier journal.

2. Placez ensuite une bougie ordinaire dans un bougeoir et allumez-la.

3. Choisissez une des bougies de couleur et allumez-la avec la précédente.

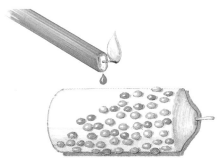

4. Vous pouvez maintenant entamer la décoration de votre grosse bougie : tenez-la horizontalement au-dessus du papier journal et laissez tomber sur elle des gouttes de cire provenant de la bougie de couleur.

5. Les gouttes se solidifient aussitôt, si bien que vous pouvez faire pivoter lentement la grosse bougie.

6. Dès que vous avez répandu un certain nombre de gouttes de cire sur tout le pourtour, éteignez la bougie et recommencez l'opération avec une deuxième bougie de couleur différente. Si vous le souhaitez, vous pouvez ensuite faire de même avec une troisième.

Attention : Les jeunes enfants ne peuvent confectionner ces bougies qu'avec l'aide d'adultes. Les restes de bougies de couleur doivent être suffisamment longs pour que les enfants puissent les tenir facilement dans la main sans risquer de se brûler les doigts.

ÉTOILE DE LUMIÈRE

à partir de 5 ans

- du papier calque
- un crayon
- du papier Ingres vert (15 x 15 cm)
- du papier à dessin vert et rouge (DIN A5)
- des ciseaux
- de la colle
- une bougie chauffe-plats

La confection de cette étoile ornée d'une fleur est d'une simplicité enfantine. Il suffit de découper le motif de l'étoile dans du papier à dessin de couleur et de plier le papier origami de la manière appropriée pour réaliser la fleur. Si vous le souhaitez, vous pouvez placer une bougie au centre de l'étoile sur votre table de fête.

1. Décalquez la fleur du patron sur le papier Ingres vert et reportez le modèle de l'étoile sur le papier à dessin vert, puis sur le rouge. Découpez ensuite les motifs obtenus.

2. Pliez la fleur selon les lignes en pointillés et ouvrez le papier après chaque pliage.

3. Pliez de nouveau la fleur selon les lignes, puis dépliez-la.

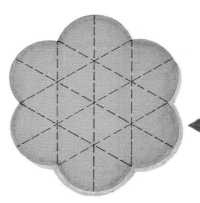

4. Comme vous le voyez sur le dessin, un réseau de lignes de pli croisées apparaît sur le papier.

5. Avec le pouce et l'index, pressez légèrement les 6 pétales des côtés pour qu'ils se redressent.

6. Ramenez ensuite les points de jonction des pétales vers le centre du motif et repliez un à un les côtés des 6 pétales vers la droite. La fleur est maintenant terminée.

7. Collez les étoiles verte et rouge l'une sur l'autre de manière à ce que leurs branches apparaissent en alternance, puis posez la fleur au centre de l'étoile supérieure.

8. Si vous voulez utiliser l'étoile comme lampe de table, ouvrez la fleur et placez une bougie à l'intérieur.

LANTERNE-DINOSAURE

à partir de 4 ans

PAYSAGE PRÉHISTORIQUE :
- du papier à dessin brun
- du papier calque
- un crayon
- des ciseaux
- du papier transparent jaune (chutes)
- de la colle
- du papier calque
- une règle
- du papier transparent brun et vert
- du papier transparent rouge, jaune et orange
- des ciseaux dentelés

LANTERNE :
- une boîte à fromage (16 cm de diamètre)
- un cutter
- un bougeoir
- de la colle
- une aiguille à repriser
- du fil de fer
- une bougie
- un goujon pour lanterne

Bien que nous sachions peu de choses des dinosaures, ils excitent toujours notre imagination. Comment vivaient-ils ? De quoi avaient-ils l'air, et pourquoi ont-ils disparu ? Sur notre lanterne, le tyrannosaure, le brontosaure et l'ichtyosaure reprennent vie et se déplacent dans un paysage préhistorique orné d'arbres gigantesques et de volcans en éruption.

Confection du paysage préhistorique

1. Reportez le modèle de dinosaure du patron sur le papier à dessin brun et découpez-le.

2. Collez ensuite du papier transparent jaune derrière l'œil et les taches rondes qui parsèment le corps du dinosaure.

3. Pour réaliser la lanterne, découpez un morceau de papier calque de 52 x 19 cm et collez au bas de celui-ci de fines bandelettes déchirées dans du papier transparent vert et brun. Elles représenteront les prairies et montagnes apparaissant en arrière-plan.

4. Placez ensuite le dinosaure au centre du papier calque.

5. Le volcan se trouve à la gauche du dinosaure. Pour le réaliser, déchirez des bandes de papier transparent brun et collez-les sur le papier calque en leur donnant la forme d'un cône sans pointe d'environ 9 cm de haut. La lave incandescente est représentée par des bandes de papier rouge, jaune et orange disposées en V au-dessus du sommet du volcan. Pour mieux illustrer la violence de l'éruption, collez autour du cratère des petits morceaux de papier transparent de la même couleur que la lave.

6. Passez maintenant à l'arbre. Avec les ciseaux dentelés, découpez un tronc d'environ 13 cm de haut dans le papier transparent brun et placez-le à la droite du dinosaure. Pour les feuilles, découpez dans du papier transparent vert des bandelettes de papier se terminant en pointe des deux côtés. Collez-les ensuite en étoile au sommet du tronc pour former le feuillage.

Un petit conseil : pour confectionner plusieurs lanternes avec des motifs de dinosaure différents, il vous suffit de photocopier des reproductions d'autres sauriens dans des manuels scolaires, des encyclopédies ou des magazines et de les décalquer ensuite sur du papier à dessin brun. La photocopieuse vous permet d'agrandir ou de réduire les dessins jusqu'à ce que leur taille soit parfaitement adaptée à votre lanterne.

Confection de la lanterne

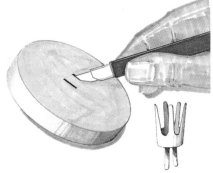

1. Prenez la boîte à fromage et pratiquez au cutter deux petites incisions au centre de la base.

2. Introduisez les deux languettes du bougeoir dans les fentes, puis

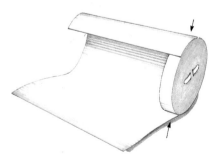

ouvrez-les en dessous de la boîte.

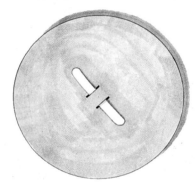

3. Encollez le bord extérieur de la boîte et collez autour de celui-ci le bas du papier calque.

4. Collez l'anneau en carton du couvercle à l'intérieur du bord supérieur de la lanterne.

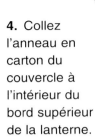

5. Fermez ensuite la lanterne en collant ensemble les deux bords du papier calque.

6. Pour pouvoir suspendre la lanterne, percez avec l'aiguille à repriser deux trous en vis-à-vis sur l'anneau supérieur, puis introduisez les extrémités du fil de fer dans les trous et fixez-les en les recourbant.

7. Placez une bougie dans le bougeoir et accrochez le goujon pour lanterne au fil de fer.

LANTERNE
EN PAPIER DE SOIE

à partir de 4 ans

- du papier calque
- une règle
- un crayon
- des ciseaux
- du papier de soie rouge, orange et jaune
- de la colle
- les matériaux de la lanterne décrite à la page 173

La lanterne en papier de soie vous permet de tester les multiples effets de couleur et jeux de lumière. La combinaison de jaune, orange et rouge choisie pour ce bricolage dégage une forte impression de chaleur. Par contre, si vous optez pour le bleu, le turquoise et le vert, votre lanterne donnera plutôt une impression de fraîcheur et évoquera l'eau claire des océans. Amusez-vous à déterminer la combinaison de couleurs qui vous plaît le plus.

1. Découpez un morceau de papier calque de 52 x 19 cm qui constituera le corps de la lanterne.

2. Pour la décoration, découpez des bandes de 55 x 20 cm dans le papier de soie rouge, orange et jaune.

3. Froissez légèrement la bande de papier de soie rouge dans le sens de la longueur. Encollez le

bord inférieur du papier calque et pressez le papier de soie sur celui-ci.

4. Ensuite, froissez légèrement le papier de soie orange dans le sens de la longueur et collez-le sur la partie centrale du papier calque.

5. Collez maintenant le papier de soie jaune sur le bord supérieur du papier calque.

6. Votre feuille de papier calque est ainsi entièrement couverte de papier de soie de couleur. Vous pouvez à présent achever la lanterne en suivant les instructions de la page 174.

LANTERNE-HÉRISSON

à partir de 4 ans

- du papier calque
- une règle
- un crayon
- des ciseaux
- des feuilles fraîchement ramassées
- des crayons gras
- du papier calque
- 5 feuilles de papier Ingres brun (15 x 15 cm)
- un feutre noir
- de la colle
- les matériaux de la lanterne décrite à la page 173

Cette lanterne de saison représente quelques hérissons s'ébattant sur un tapis de feuilles d'automne bigarré. Pour la confectionner, il vous faut des feuilles d'au moins dix formes différentes, aussi fraîches que possible pour qu'elles conservent leurs contours lorsque vous les décalquerez sur le papier calque.

1. Découpez un morceau de papier calque de 52 x 19 cm qui constituera le corps de votre lanterne.

2. Posez ensuite une feuille sur le plan de travail en orientant les nervures vers le haut et placez le papier calque par-dessus.

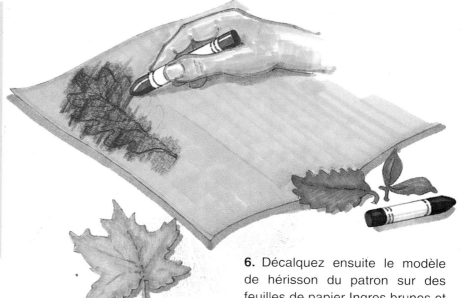

3. Avec un crayon gras, repassez énergiquement l'endroit du papier qui couvre la feuille. Les nervures et les bords apparaîtront peu à peu. Frottez jusqu'à ce que toute la forme de la feuille apparaisse sur le papier.

4. Prenez maintenant un crayon gras d'une couleur différente. Ôtez la feuille et placez-en une autre sous le papier calque, de manière à ce que l'empreinte que vous réaliserez de celle-ci chevauche partiellement la première.

5. Répétez cette opération jusqu'à ce que le papier calque soit rempli de feuilles multicolores.

6. Décalquez ensuite le modèle de hérisson du patron sur des feuilles de papier Ingres brunes et découpez 5 hérissons.

7. Dessinez les yeux, la bouche et le nez des petits animaux avec le feutre noir et collez les hérissons à la queue leu leu sur le bord inférieur du papier calque. Si vous le souhaitez, vous pouvez également les placer en vis-à-vis, deux par deux.

8. Terminez à présent la lanterne en suivant les instructions de la page 174.

LANTERNE ONDULÉE

à partir de 8 ans

- du papier calque
- du papier de soie jaune
- une règle
- un crayon
- des ciseaux
- de la colle
- du papier de soie rouge, orange et violet
- les matériaux de la lanterne décrite à la page 173

Cette lanterne permet elle aussi d'associer différentes couleurs, mais elle joue en plus sur la forme. Des bandes de papier transparent découpées en lignes ondulées et agencées de façon ingénieuse font ressortir le centre plus clair de la lanterne et augmentent ainsi son intensité lumineuse.

1. Commencez par découper un rectangle de papier calque et un autre de papier de soie jaune de 52 x 23 cm.

2. Collez les deux papiers en les superposant l'un sur l'autre.

3. Découpez ensuite les autres morceaux de papier de soie aux dimensions suivantes : l'orange en 52 x 18 cm, le rouge en 52 x 16 cm et le violet en 52 x 14 cm.

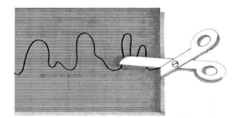

4. En suivant la ligne centrale, découpez maintenant le papier en lignes ondulées irrégulières.

5. Collez une moitié ondulée du papier de soie orange sur le bord supérieur et l'autre sur le bord inférieur du grand papier jaune. Il restera ainsi au centre une bande jaune, elle aussi ondulée.

6. Collez successivement les deux moitiés du papier de soie rouge et violet sur les bords du morceau de papier jaune.

7. Il ne vous reste plus qu'à achever la lanterne en suivant les instructions de la page 174.

LANTERNE-POISSON

à partir de 5 ans

- 2 feuilles de papier sulfurisé
- du papier calque
- un crayon
- une plaque à pâtisserie
- des maniques
- des crayons gras
- des ciseaux
- du carton fort
  (environ 1 mm d'épaisseur)
- de la colle
- du bristol
- une règle
- un cutter
- un bougeoir
- un emporte-pièce
- du fil de fer
- une bougie
- un goujon pour lanterne

En plus des lunes et des étoiles, des hérissons et des dinosaures, une véritable marche aux lampions ne peut se concevoir sans au moins un poisson. Contrairement à ce qu'il paraît à première vue, le poisson-lanterne n'est pas plus difficile à réaliser que les lanternes de forme cylindrique.

1. Confectionnez tout d'abord les côtés. À cet effet, décalquez le modèle de poisson sans nageoire du patron sur deux feuilles de papier sulfurisé.

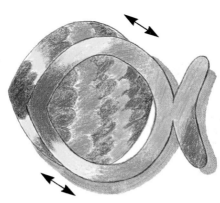

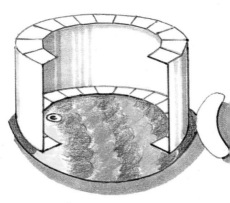

des crayons gras de couleurs différentes.

2. Posez ensuite une de ces feuilles sur une plaque à pâtisserie et réglez le thermostat de la plaque de cuisson sur le minimum. Un adulte prend la plaque à pâtisserie avec des maniques et la pose sur la plaque de cuisson. Dès que la plaque à pâtisserie est relativement chaude, dessinez des écailles de différentes couleurs sur le papier avec des crayons gras. Les couleurs fondent et se mélangent légèrement. À la fin, dessinez l'œil avec un crayon foncé.

3. Répétez l'opération avec la deuxième feuille de papier sulfurisé, puis découpez les deux poissons.

4. Reportez deux fois le modèle de poisson avec nageoire caudale du patron sur le carton fort et découpez les formes obtenues.

5. Posez celles-ci en vis-à-vis sur la table et coloriez leur recto avec

6. Collez ensuite les contours en carton des poissons sur les corps coloriés en papier sulfurisé.

7. Confectionnez à présent le corps de la lanterne. Découpez à cet effet un rectangle de 46 x 16 cm dans du bristol et rabattez les grands côtés sur 2 cm vers l'intérieur.

8. Incisez les bords ainsi obtenus à intervalles réguliers d'environ 1,5 cm de façon à constituer des languettes.

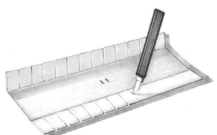

9. Pratiquez deux petites fentes au centre du rectangle et fixez le bougeoir à cet endroit.

10. Il ne vous reste plus qu'à assembler la lanterne. Enduisez de colle l'extérieur des languettes se trouvant d'un côté du corps.

Arrondissez celui-ci et collez les languettes sur un des poissons en veillant à laisser une ouverture au sommet.

11. Collez ensuite le second poisson sur l'autre bord du corps de la lanterne.

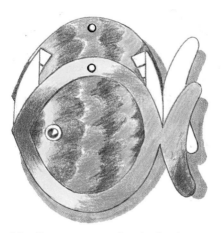

12. Pour suspendre la lanterne, percez avec l'emporte-pièce deux trous sur les bords supérieurs des poissons et enfilez-y le fil de fer.

13. Après avoir placé une bougie dans le bougeoir et attaché le goujon pour lanterne, vous serez fin prêt pour participer à la marche aux lampions !

BOUGIE SUR LIT D'ÉTOILES

à partir de 6 ans

- du papier à dessin de couleur
- du papier calque
- un crayon
- des petits ciseaux
- une bougie chauffe-plats dans un récipient en verre
- des étoiles de décoration
- de la colle

Si vous assortissez la couleur des étoiles en papier à celle de la nappe et des serviettes, votre table sera magnifiquement décorée pour cette période de l'avent. L'effet sera encore plus réussi si vous placez des bougies de couleur dans des récipients en verre.

1. Sur le papier à dessin, décalquez l'étoile figurant sur le patron en deux exemplaires que vous découperez.

2. Posez la bougie au centre d'une des étoiles et tracez son contour au crayon.

3. Évidez prudemment avec des petits ciseaux le cercle ainsi obtenu.

4. Ornez la face supérieure de l'étoile de petites étoiles de décoration.

5. Enfoncez la base de la bougie dans l'étoile, puis montez l'étoile jusqu'à mi-hauteur de la bougie.

6. Collez ensuite la bougie au centre de la seconde étoile en papier.

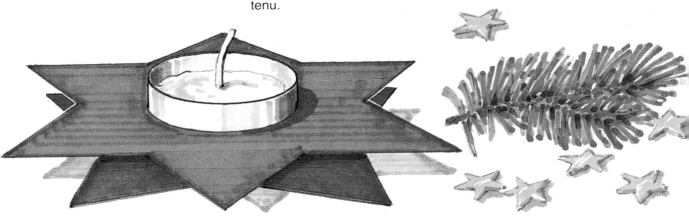

Avent et Noël

CALENDRIER DE L'AVENT : SAPIN DE NOËL

À partir de 6 ans

- du papier calque
- un crayon
- une feuille de bristol vert foncé
- des ciseaux
- de la laine vierge ou de l'ouate
- de la colle
- du carton fort
- du caoutchouc mousse de différentes couleurs
- des vieux journaux
- de la peinture nacrée
- des épingles

Voici une magnifique décoration murale pour la période de Noël : un calendrier de l'avent en forme de sapin auquel sont attachés 24 badges en caoutchouc mousse qui ne demandent qu'à être « cueillis » !

Ce calendrier convient particulièrement bien pour les groupes d'enfants et peut être bricolé par exemple à l'école maternelle ou à l'école primaire. Le nombre de badges en caoutchouc mousse doit être calculé de façon telle que chaque enfant en reçoive au moins un.

1. Décalquez le sapin du patron sur le bristol vert foncé et découpez-le.

2. Pour la « neige » des branches, prenez des petits morceaux de laine vierge ou d'ouate et collez-les sur l'arbre.

3. Décalquez également les motifs « clochette », « bougie », « étoile » et « fleur » figurant sur le patron sur le carton fort et découpez-les. Ils vous serviront de modèles pour les badges.

4. Chaque enfant choisit un des modèles, le pose sur le morceau de caoutchouc mousse et trace ses contours au crayon avant de le découper. Vous pouvez aussi découper et coller sur les motifs des petits morceaux de caoutchouc mousse d'une autre couleur représentant la flamme de la bougie, le centre de la fleur ou le battant de la clochette.

5. Couvrez ensuite votre plan de travail de vieux journaux et ornez les motifs de peinture nacrée : pressez prudemment le tube et faites sortir quelques gouttes auxquelles vous donnerez la forme de points ou de petits traits. Cette peinture étant épaisse, la forme choisie ne se modifiera pas en séchant. Vos motifs seront ainsi décorés de façon très esthétique.

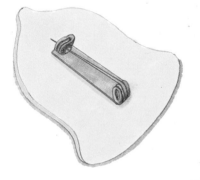

6. Dès que la peinture est sèche, collez l'épingle au dos du motif.

7. Vous pouvez à présent fixer les badges sur le sapin. Pour éviter que l'arbre ne se dénude pendant la période de l'avent, collez d'autres morceaux de caoutchouc mousse sans épingle sur ses branches.

BOUGIES EN CARTON ONDULÉ

À partir de 4 ans

- du papier calque
- un crayon
- du carton ondulé vert
- des ciseaux
- du carton ondulé rouge
- de la colle
- du carton ondulé jaune
- des bougies pour sapin de Noël

Les bougies en carton ornées d'une flamme de papier jaune ne présentent aucun danger. Vous pouvez donc les utiliser aussi longtemps que vous le souhaitez pour la décoration d'une table de fête. Toutefois, si vous préférez de véritables bougies, il vous suffira de confectionner des bougeoirs en carton ondulé.

Attention : lorsque les bougies sont allumées, ne les laissez jamais se consumer sans surveillance.

1. Décalquez l'étoile figurant sur le patron au dos du carton vert et découpez-la.

2. Découpez ensuite une bande de 6 x 8 cm dans le carton rouge et enduisez-la de colle sur l'arrière. Enroulez cette bande et tenez-la serrée pendant quelques instants jusqu'à ce que la colle prenne.

3. Appliquez maintenant de la colle sur la base du rouleau de carton et fixez celui-ci au centre de l'étoile verte.

4. Il ne manque plus qu'une flamme à votre bougie. Reportez donc le modèle de flamme figurant sur le patron sur le carton jaune et découpez-le. Encollez la partie inférieure de la flamme et fixez-la sur la bougie rouge.

5. Si vous utilisez de vraies bougies et que vous voulez simplement confectionner le bougeoir, commencez par découper l'étoile dans du carton ondulé.

6. Entourez ensuite une bougie d'une bande de carton ondulé de 2 cm de large et 14 cm de long dont vous collerez l'extrémité.

7. Une fois la colle sèche, ôtez la bougie et collez l'anneau de carton au centre de l'étoile.

Lorsque vous replacerez la bougie dans l'anneau, elle disposera alors d'un support stable.

BOULES DE NOËL

à partir de 4 ans

- des vieux journaux
- un tablier
- un goujon pour lanterne
- une scie à chantourner
- des boules en plastique blanc (10 cm de diamètre)
- des peintures acryliques
- un pinceau
- des petites étoiles de décoration
- des paillettes dorées et argentées
- un verre
- des crochets pour les boules
- de la ficelle dorée
- des ciseaux

Les boules de couleur se marient particulièrement bien avec le vert foncé de l'arbre de Noël. Elles sont aussi du plus bel effet dans un montage floral de fête.
Si vous emballez les boules dans un film plastique fermé par une ficelle dorée, vous obtiendrez un joli présent à offrir pour Noël.

1. Couvrez tout d'abord votre plan de travail de vieux journaux et enfilez un tablier.

2. Sciez ensuite le goujon en morceaux d'une vingtaine de cm de long.

3. Introduisez l'un des bâtonnets dans l'orifice de la boule. Il doit tenir suffisamment pour que vous puissiez retourner celle-ci vers le bas sans qu'elle ne tombe.

4. Peignez maintenant les boules avec des peintures acryliques jusqu'à ce que la surface blanche soit entièrement couverte.

5. Disposez les étoiles sur la peinture encore humide en faisant tourner la boule.

6. Ajoutez-y quelques paillettes dorées et argentées.

7. Lorsque la décoration vous plaît, faites sécher la boule en plaçant le goujon dans un verre.

8. Le lendemain, ôtez le bâtonnet et placez le crochet au sommet de la boule.

9. Enfilez enfin une ficelle dorée par l'anneau du crochet et nouez les deux extrémités.

PÈRE NOËL
SUR SA LUGE

à partir de 7 ans

- du carton fort
- du papier calque
- un crayon
- des ciseaux
- des chutes de papier de couleur
- de la laine vierge
- de la colle
- du ruban adhésif (3 cm de large)
- une luge rouge
- un rouleau de papier crépon rouge
- du fil
- une clochette en métal

Personne ne pourra reconnaître immédiatement la luge rouge à laquelle est fixé le père Noël. Dès la première neige, vous détacherez le père Noël pour vous lancer à l'assaut des pentes. Ce père Noël constitue un emballage original qui ne dissimule pas le cadeau, mais le transforme en un autre objet.

Luge

1. Décalquez sur du carton fort la tête de père Noël figurant sur le patron et découpez-la.

2. Dans des chutes de papier de couleur, déchirez ensuite des cercles, un triangle et une bandelette représentant les yeux, le nez et la bouche à coller sur le visage.

3. Pour les cheveux et la barbe, prenez de fines bandes de laine vierge et collez-les sur le front, les joues et le menton du personnage. Prévoyez aussi un peu de laine pour la moustache. Plus la barbe sera longue et broussailleuse, plus votre père Noël aura l'air authentique.

4. Avec le ruban adhésif, fixez solidement la luge à l'arrière du cou et de la tête.

5. Pour le bonnet, découpez un rectangle de papier crépon rouge de 65 x 50 cm, dont vous rabattrez un des grands côtés à l'intérieur sur 3 cm environ.

6. Appliquez de la colle sur ce rabat et pressez-le autour du visage en commençant par le front. Demandez à quelqu'un de vous aider et de maintenir le père Noël pendant l'opération.

7. Enduisez de colle l'autre extrémité du capuchon et fermez celui-ci en lui donnant une forme pointue.

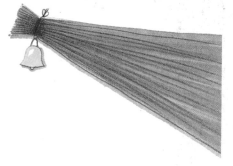

8. Nouez maintenant un fil muni d'une clochette autour de la pointe et collez au bout un petit pompon de laine vierge.

CRÈCHE À LA SCIE
À CHANTOURNER

à partir de 7 ans

- une planche de contreplaqué (22 x 18 cm, 3 mm d'épaisseur)
- du papier calque
- un crayon
- un serre-joints
- une scie à chantourner
- une vrille
- du papier de verre fin
- une aiguille à tricoter
- du papier vitrail rouge, orange et jaune
- des ciseaux
- de la colle
- du ruban adhésif
- des petites étoiles de décoration

Quand les jours raccourcissent, il est vraiment très agréable de passer ses soirées à bricoler. Et quel plaisir de réaliser de jolis objets pour Noël en famille, entre amis ou avec des proches.

Tous pourront participer à la confection de cette crèche en contreplaqué. Les petits découperont ainsi le papier vitrail à coller à l'arrière de la partie centrale, tandis que les plus grands reporteront le motif de crèche sur le contreplaqué. Un membre du groupe ayant une expérience du travail à la scie à chantourner se chargera de découper les divers éléments.

1. Décalquez le motif de crèche du patron sur le contreplaqué.

2. Fixez ensuite la plaque de bois sur le plan de travail à l'aide d'un serre-joints et sciez les 3 éléments en suivant les contours.

3. La découpe des formes intérieures est un peu plus compliquée : à l'aide de la vrille, percez un trou dans l'étoile de la partie centrale, introduisez-y la scie à chantourner, puis découpez la forme.

Percez également un orifice dans les parties inférieure et supérieure de la crèche et évidez le tableau.

4. À l'aide du papier de verre, poncez ensuite toutes les arêtes des éléments. Pour atteindre les coins de l'étoile et des personnages, enroulez un petit morceau de papier de verre autour d'une aiguille à tricoter et poncez.

5. À partir du patron, décalquez ensuite sur le papier vitrail les formes à coller à l'arrière de la crèche et découpez les différents éléments obtenus.

6. Collez d'abord le papier vitrail rouge à l'arrière de l'élément central de la crèche, puis le papier vitrail orange. Attention : les orifices des auréoles doivent être situés au-dessus des têtes des personnages. Collez enfin le papier vitrail jaune.

7. Pour assembler la crèche, fixez les éléments extérieurs sur la partie centrale à l'aide de deux bandes de ruban adhésif de

12 cm de long. Veillez à ce que les arêtes des différentes parties soient parfaitement alignées.

8. Décorez enfin les côtés latéraux et le « ciel » à l'aide de petites étoiles.

NUAGES

à partir de 4 ans

- du papier à dessin blanc
  (50 x 35 cm)
- du papier calque
- un crayon
- des ciseaux
- de la colle
- du papier de soie blanc
  (50 x 35 cm)
- du papier à dessin
- du film doré
- des petites étoiles
  de décoration
- du ruban adhésif double face
- du papier à dessin blanc (A4)
- du papier de soie blanc (A4)

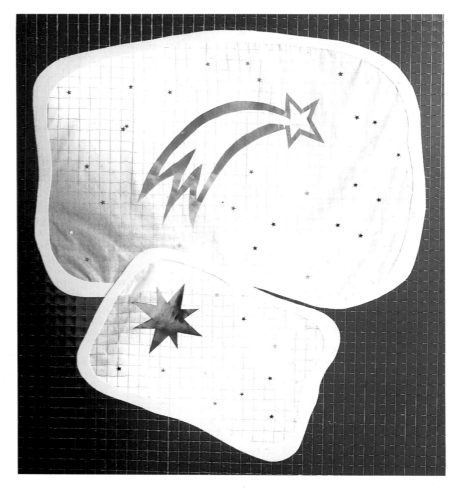

Tous les nuages ne sont pas annonciateurs de pluie ou de neige. Ces nuages en papier de soie blanc décorés de comètes et d'étoiles créeront une ambiance chaleureuse dans la chambre des enfants et pourront faire office de rideaux devant une grande fenêtre.

Grand nuage

1. Décalquez le cadre de nuage du patron sur le papier à dessin blanc et découpez-le.

2. Encollez l'arrière du cadre et appliquez-y le papier de soie. Pressez le papier sur le pourtour du cadre et découpez le papier qui dépasse.

3. Décalquez ensuite la comète du patron sur le papier à dessin et découpez-la. Placez-la sur le film doré et tracez-en les contours au crayon, puis découpez la forme obtenue.

4. Encollez l'arrière de la comète en film doré et collez-la à l'avant du nuage.

5. Décorez ensuite votre tableau avec de petites étoiles.

6. Fixez 4 à 6 petits morceaux de ruban adhésif double face à l'arrière du cadre et fixez votre tableau sur une vitre.

Petit nuage

La réalisation du petit nuage est identique à celle du grand. Elle requiert du papier blanc et du papier de soie blanc format A4. Les modèles du cadre et de l'étoile figurent sur le patron.

CARTE DE NOËL : PAYSAGE HIVERNAL

à partir de 7 ans

- du bristol
- un crayon
- une règle
- des ciseaux
- du papier cadeau
- de la colle
- un feutre doré

Pour Noël, pourquoi ne pas envoyer des cartes que vous aurez confectionnées vous-même ? Pour réaliser ces cartes représentant un paysage hivernal, il vous faudra uniquement une feuille de bristol, un peu de papier cadeau et un feutre doré.

1. Commencez par confectionner une carte allongée. À cet effet, dessinez un rectangle de 10,5 x 30 cm sur un morceau de bristol et découpez-le.

2. Pliez le rectangle en deux et vous obtiendrez une carte allongée en format carte postale.

3. Posez la carte au dos du papier cadeau, tracez-en le contour et découpez le rectangle obtenu.

4. Tracez une ligne ondulée irrégulière le long de la ligne médiane horizontale du papier cadeau, puis découpez celui-ci selon cette ligne.

5. Collez l'une des parties ondulées à l'avant d'une carte pour former le « ciel ». Vous utiliserez l'autre partie pour la carte suivante.

6. Tracez à main levée au feutre doré les contours des sapins sur la carte de vœux. Dessinez les arbres de manière à ce que leurs sommets soient situés dans le ciel.

7. Pour finir, dessinez de petites étoiles dorées dans le ciel.

ÉTOILES
EN CARTON ONDULÉ

à partir de 4 ans

- du papier calque
- un crayon
- du carton ondulé
- du papier à dessin
  de différentes couleurs
- du bristol de différentes
  couleurs
- des ciseaux
- de la colle
- du fil
- une aiguille
- des étoiles de décoration
  argentées

Dans de nombreuses familles, l'arbre de Noël est décoré un peu différemment chaque année. Et souvent, il suffit de quelques éléments particuliers pour lui donner une nouvelle apparence. À cet égard, les étoiles en carton ondulé peuvent être confectionnées très rapidement et sont en outre très peu coûteuses. Quelques formes de base suffisent à réaliser une multitude d'étoiles différentes.

Troisième étoile

1. Décalquez l'étoile de taille moyenne sur du papier rose et la petite sur du papier vert, puis découpez-les.

2. Collez les deux étoiles l'une sur l'autre en les décalant.

3. Découpez deux rectangles de 4,5 x 6 cm et de 3,5 x 6 cm dans du carton ondulé.

1. À partir du patron, décalquez 4 étoiles de différentes tailles, un cercle et 2 flammes de bougies et reportez-les plusieurs fois sur du carton ondulé, du papier de couleur ou du bristol. Découpez ensuite les formes obtenues.

2. Collez à présent à votre guise les différents éléments les uns sur les autres. Les étoiles peuvent être très différentes les unes des autres. Les 3 étoiles présentées ici constituent uniquement des suggestions et visent à illustrer les différentes possibilités.

3. Pour suspendre une étoile, passez un fil dans l'une de ses branches et nouez-en l'extrémité.

Première étoile

1. Sur la grande étoile en carton ondulé, collez deux étoiles de taille moyenne réalisées en papier bleu et rouge.

2. Disposez un cercle en carton ondulé au centre de l'étoile.

Deuxième étoile

1. Sur la grande étoile en bristol bleu, collez une étoile un peu plus petite en carton ondulé.

2. Au centre, placez deux petites étoiles supplémentaires en papier bleu.

3. Décorez celles-ci avec des étoiles argentées.

4. Encollez le dos des formes en carton ondulé et enroulez-les pour obtenir les bougies.

5. Décalquez à présent deux formes de flammes sur du papier jaune et découpez-les.

6. Collez les bougies en carton ondulé verticalement sur les deux étoiles et disposez les flammes.

DÉCORATIONS DE SAPIN DE NOËL : ANNEAUX TRESSÉS

à partir de 9 ans

- du papier cadeau solide
- une règle
- un crayon
- des ciseaux
- une agrafeuse
- de la colle
- 5 à 10 petites perles en bois
- du fil
- une aiguille
- du ruban cadeau
- du fil de fer
- du papier calque

Une décoration de sapin de Noël tout à fait originale : les bandes de papier ne sont ni peintes, ni collées, mais tressées. L'effet sera particulièrement réussi si vous choisissez du papier cadeau, des perles de bois et des rubans aux couleurs assorties.

1. Commencez par découper des bandes de papier cadeau de 30 x 7 cm.

2. Enroulez ensuite chaque bande autour d'un crayon sans la serrer, puis étirez-la avec précaution pour obtenir une spirale.

3. Coincez ensuite trois spirales dans un tiroir et tressez-les, puis agrafez les deux extrémités de la tresse obtenue.

4. Formez un ovale avec la tresse et collez les deux extrémités l'une sur l'autre.

5. Enfilez 5 à 10 petites perles en bois sur un fil d'environ 25 cm de longueur. Repassez le fil autour de la dernière perle et réenfilez l'aiguille dans les autres perles.

6. Vous fixerez également la première perle en enroulant le fil autour de celle-ci. À l'extrémité supérieure de la bande de perles, nouez les deux fils ensemble.

7. Pour suspendre la bande de perles dans la tresse, passez l'un des fils avec l'aiguille dans la partie supérieure de l'ovale, à l'endroit où les deux extrémités de la tresse se croisent. Nouez à nouveau les deux fils de la bande de perles.

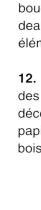

8. Pour suspendre la décoration, passez un autre fil au travers de l'extrémité supérieure de la tresse et nouez ses extrémités.

9. Réalisez à présent une cocarde avec le ruban : faites des boucles avec un morceau de

ruban de 40 cm de long environ, puis enroulez en son centre un morceau de fil de fer, dont vous torsaderez les extrémités.

10. Fixez ensuite la cocarde sur l'ovale tressé à l'aide de la tige en fil de fer obtenue.

11. Vous pouvez également décorer l'anneau tressé avec une boucle de papier. À cet effet, décalquez deux fois le modèle de boucle du patron sur du papier cadeau et découpez les différents éléments.

12. Collez ensuite les boucles des deux côtés de l'ovale tressé et décorez le centre de la boucle en papier avec plusieurs perles en bois.

ÉTOILE EN PÂTE À SEL AVEC BOUGIE CHAUFFE-PLATS

à partir de 4 ans

- 1 tasse de farine
- 1 tasse de sel
- de l'eau
- 1 cuillerée à café d'huile
- de la peinture acrylique bleue et rouge
- un rouleau à pâtisserie
- du papier à dessin de couleur
- du papier calque

- un crayon
- des ciseaux
- un couteau
- une bougie chauffe-plats
- une tablette ou du carton épais
- du vernis transparent ou de la laque à cheveux
- une allumette
- des petites étoiles de décoration

La pâte à sel se travaille de la même manière que l'argile. Mais elle présente deux avantages : elle ne doit pas se cuire dans des fours spéciaux et tous les ingrédients nécessaires à sa fabrication se trouvent déjà à la maison. Le seul danger pour les réalisations en pâte à sel est l'humidité. Toutefois, si vous les conservez dans un endroit bien sec, vous pourrez les garder très longtemps.

1. Pétrissez la farine avec le sel et un peu d'eau, puis ajoutez l'huile. À ce stade, la pâte est encore trop dure pour être étalée.

2. Partagez la pâte en trois parts égales. Ajoutez encore un peu d'eau dans la première boule jusqu'à ce que la masse soit souple.

3. Ajoutez de la peinture acrylique bleue dans la deuxième boule et de la rouge dans la troisième. Pétrissez jusqu'à ce que les boules prennent une couleur uniforme. La quantité de peinture

dépend de la nature de la pâte et de l'intensité de la teinte voulue.

4. Regroupez ensuite les trois boules et pétrissez-les ensemble pour bien les mélanger. Cependant, les différentes couleurs doivent pouvoir encore bien se discerner et la pâte doit en fin de compte présenter une apparence striée ou marbrée.

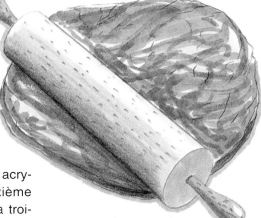

5. Partagez la pâte en deux et étalez-la au rouleau.

6. Pour réalisez le modèle, décalquez le motif d'étoile du patron sur le papier et découpez la forme obtenue.

7. Placez le modèle sur la pâte à sel étalée et découpez-en les contours avec un couteau.

8. Pressez la bougie chauffe-plats au centre de l'étoile, puis retirez-la et laissez reposer l'étoile sur une tablette ou du carton épais.

9. Lorsque l'étoile est sèche, décorez-la de petites étoiles, puis vaporisez l'ensemble de vernis transparent. Si vous le souhaitez, vous pouvez remplacer le vernis par de la laque, mais dans ce cas, les étoiles adhéreront moins bien à la pâte à sel.

10. Pour finir, placez la bougie chauffe-plats dans le cercle imprimé au centre de l'étoile et allumez-la.

CRAYON-PÈRE NOËL

à partir de 10 ans

- 1 boule de ouate
  (4 cm de diamètre)
- des ciseaux
- un crayon arc-en-ciel
- de la colle
- des feutres ou des crayons
  de couleur
- de la laine vierge
- du papier crépon rouge
- une règle
- un crayon
- du fil rouge
- une aiguille
- des sucreries
- des clochettes en métal

La confection de ce père Noël en réjouira plus d'un. On pourra imaginer de petites histoires pour lui, lui parler et même le faire dessiner !

1. Commencez par agrandir un peu l'orifice de votre boule de ouate. À cet effet, ôtez un peu d'ouate à l'aide d'une paire de ciseaux.

2. Plantez ensuite le crayon arc-en-ciel dans l'orifice, pointe en bas. Si la tête bouge, fixez-la par un point de colle.

3. Dessinez le visage du père Noël sur la boule de ouate avec

des feutres ou des crayons de couleur.

4. Collez ensuite quelques bandes de laine vierge autour du visage pour former les cheveux. Vous réaliserez la barbe plus tard.

5. Pour le bonnet, découpez un rectangle de 20 x 7 cm dans le papier crépon rouge. Sur l'un des côtés longitudinaux, pliez le papier sur 1 cm vers l'intérieur.

6. Collez le papier au niveau de la ligne de pli autour de la tête. Fermez la longueur et la largeur du bonnet en les collant. Au niveau du cou, fermez le papier crépon à l'aide d'un fil rouge.

7. Pour le manteau, découpez un rectangle de 32 x 12 cm dans le

papier crépon rouge. Passez un fil rouge au point de devant sur l'un des côtés longitudinaux et laissez dépasser 10 cm de fil environ.

8. Serrez ensuite le papier crépon et placez-le autour du cou du père Noël. Enroulez plusieurs fois les fils qui dépassent autour du cou et nouez-les à l'arrière. Enfilez quelques sucreries et nouez à nouveau les extrémités du fil.

9. Avec de la laine vierge, confectionnez une écharpe que vous nouerez autour du cou du père Noël.

10. Collez à présent de la laine vierge pour représenter la barbe.

11. Collez également de la laine vierge au bas du manteau.

12. Pour finir, cousez une clochette à l'extrémité du bonnet.

Astuce : Vous pouvez remplacer la laine vierge par de la ouate. Mais la barbe et les cheveux auront un aspect plus réel dans le premier cas.

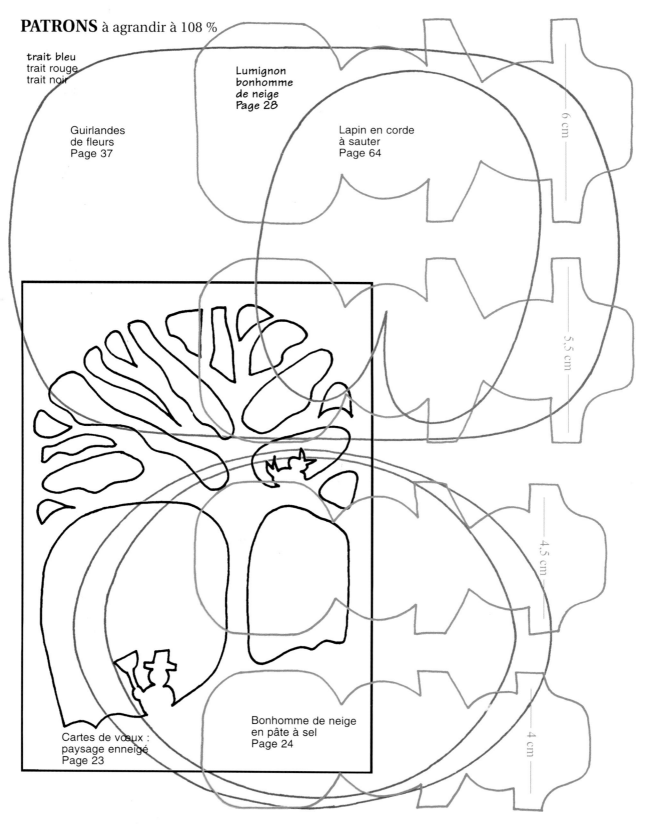

PATRONS à agrandir à 108 %

trait bleu
trait rouge
trait noir

Lumignon
bonhomme
de neige
Page 28

Guirlandes
de fleurs
Page 37

Lapin en corde
à sauter
Page 64

6 cm

5,5 cm

4,5 cm

4 cm

Cartes de vœux :
paysage enneigé
Page 23

Bonhomme de neige
en pâte à sel
Page 24

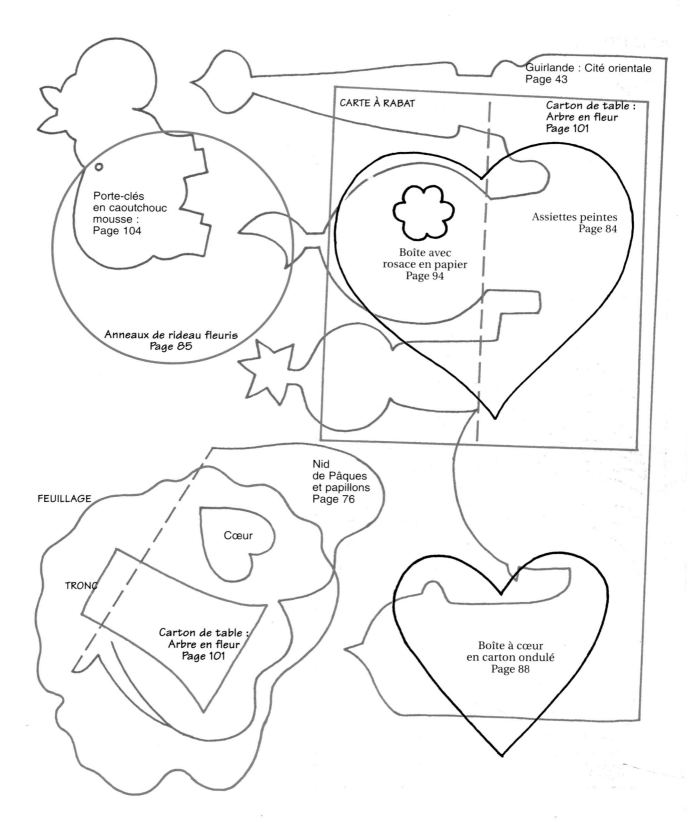

Guirlande : Cité orientale
Page 43

CARTE À RABAT

Carton de table :
Arbre en fleur
Page 101

Porte-clés
en caoutchouc
mousse :
Page 104

Assiettes peintes
Page 84

Boîte avec
rosace en papier
Page 94

Anneaux de rideau fleuris
Page 85

Nid
de Pâques
et papillons
Page 76

FEUILLAGE

Cœur

TRONC

Carton de table :
Arbre en fleur
Page 101

Boîte à cœur
en carton ondulé
Page 88

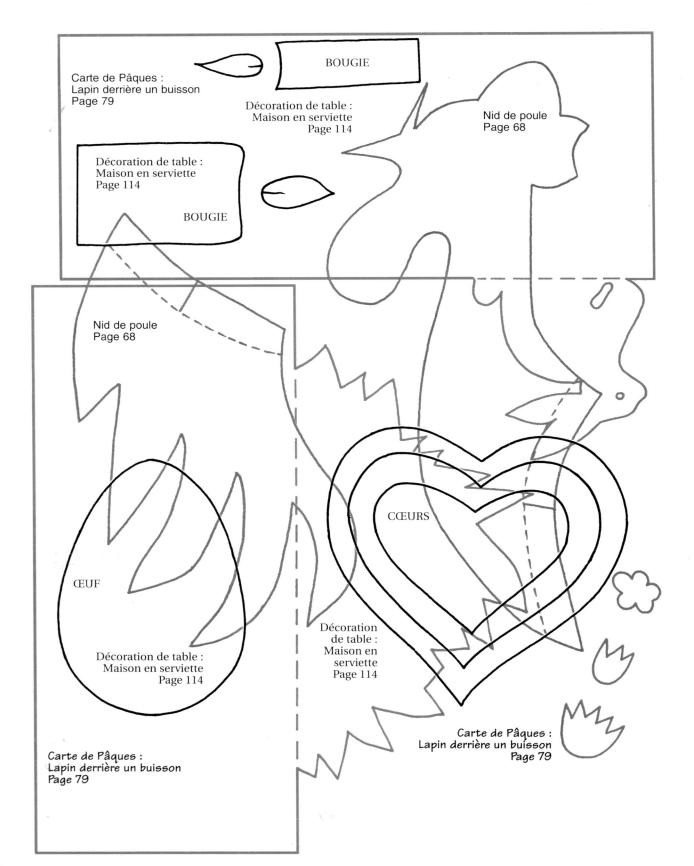

Carte de Pâques :
Lapin derrière un buisson
Page 79

BOUGIE

Décoration de table :
Maison en serviette
Page 114

Nid de poule
Page 68

Décoration de table :
Maison en serviette
Page 114

BOUGIE

Nid de poule
Page 68

CŒURS

ŒUF

Décoration de table :
Maison en serviette
Page 114

Décoration
de table :
Maison en
serviette
Page 114

Carte de Pâques :
Lapin derrière un buisson
Page 79

Carte de Pâques :
Lapin derrière un buisson
Page 79

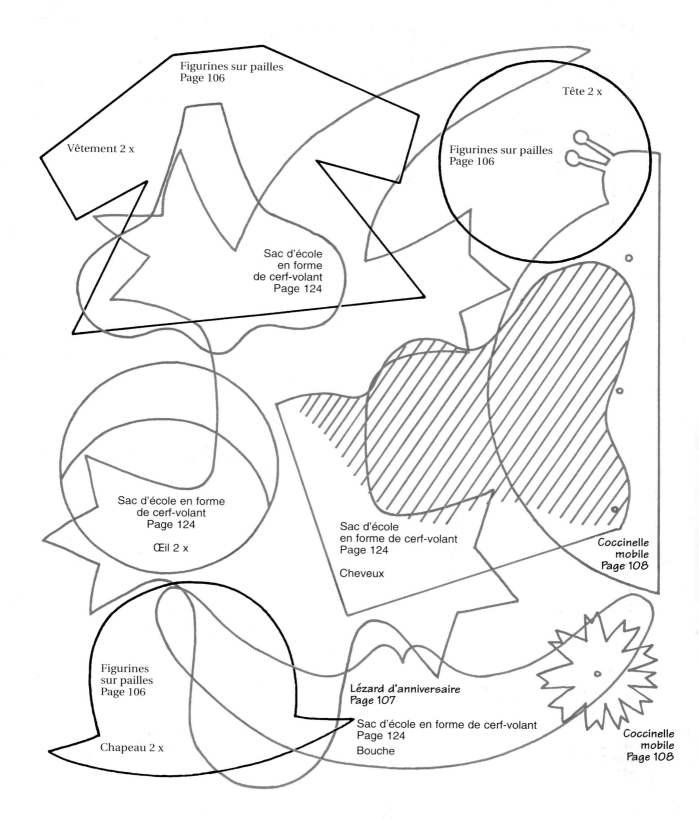

Figurines sur pailles
Page 106

Vêtement 2 x

Tête 2 x

Figurines sur pailles
Page 106

Sac d'école
en forme
de cerf-volant
Page 124

Sac d'école en forme
de cerf-volant
Page 124

Œil 2 x

Sac d'école
en forme de cerf-volant
Page 124

Cheveux

Coccinelle
mobile
Page 108

Figurines
sur pailles
Page 106

Chapeau 2 x

Lézard d'anniversaire
Page 107

Sac d'école en forme de cerf-volant
Page 124

Bouche

Coccinelle
mobile
Page 108

© Casterman 1997
Traduction : Vincent Deligne et Marie-Caroline Frappart
© 1996 Falken Verlag GmbH, 65527 Niedernhausen/Ts sous le titre *Das Neue Bastelbuch für kinder*
Photos : TLC-Foto-Studio — Dessins : Atelier Ulrike Hoffmann

ISBN 2-203-14461-0

Imprimé en Espagne
Dépôt légal octobre 1997 ; D. 1997/0053/224
Déposé au ministère de la Justice, Paris
(loi n°49.956 du 16 juillet 1949 sur les publications destinées à la jeunesse).